Le livre des PRÉNOMS actuels

Ce livre appartient à

____

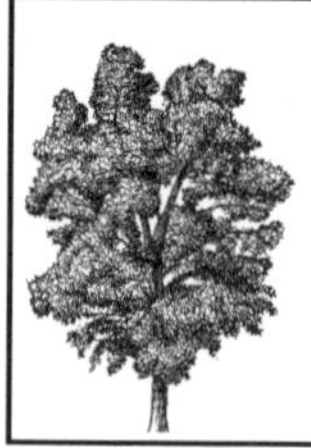

NE JETEZ JAMAIS UN LIVRE

La vie d'un livre commence à partir du moment où un arbre prend racine. Si vous ne désirez plus conserver ce livre, donnez-le. Il pourra ainsi prendre racine chez un autre lecteur.

DISTRIBUTEURS EXCLUSIFS

POUR LE CANADA ET LES ÉTATS-UNIS
LES MESSAGERIES ADP
2315, rue de la Province
Longueuil (Québec) CANADA J4G 1G4

Téléphone: 450 640-1234
Télécopieur: 450 674-6237

POUR LA SUISSE
TRANSAT DIFFUSION
Case postale 3625
1 211 Genève 3 SUISSE

Téléphone: (41-22) 342-77-40
Télécopieur: (41-22) 343-46-46
Courriel: transat-diff@slatkine.com

POUR LA FRANCE ET LA BELGIQUE
DISTRIBUTION DU NOUVEAU MONDE (DNM)
30, rue Gay-Lussac
75005 Paris FRANCE

Téléphone: (1) 43 54 49 02
Télécopieur: (1) 43 54 39 15
Courriel: dnm@librairieduquebec.fr

MARIE-ÉVELYNE TREMBLAY

Le livre des PRÉNOMS actuels

Ce livre a déjà paru en 2001 sous le titre *Le livre des prénoms actuels.*

C.P. 325, Succursale Rosemont
Montréal (Québec), Canada H1X 3B8
Téléphone: (514) 522-2244
Courrier électronique: info@edimag.com
Internet: www.edimag.com

Dépôt légal: troisième trimestre 2007
Bibliothèque et Archives nationales du Québec
Bibliothèque nationale du Canada

ISBN: 978-2-89542-241-9

Québec Canada

L'éditeur bénéficie du soutien de la Société de développement des entreprises culturelles du Québec pour son programme d'édition.

Nous reconnaissons l'aide financière du gouvernement du Canada par l'entremise du Programme d'aide au développement de l'Industrie de l'édition (PADIÉ) pour nos activités d'édition.

INTRODUCTION

Un prénom, c'est le premier cadeau qu'offrent des parents à leur enfant après celui de la vie. Il importe donc de choisir avec soin ce que l'on souhaite offrir de plus cher à sa fille ou à son fils.

Bien sûr, le contexte dans lequel l'enfant voit le jour influence énormément son caractère. Toutefois, il est important de ne pas sous-estimer la valeur des prénoms. Chacun d'eux contient une charge émotive qui déborde le cadre de simples lettres mises les unes à la suite des autres.

Des ouvrages expliquant les divers prénoms de la francophonie sont déjà disponibles. Par contre, et c'est là une première, il est aussi question dans le présent livre des prénoms composés. Ceux-ci contiennent une grande richesse de sens et d'émotion et apportent à l'enfant des nuances importantes qu'il convenait de mettre par écrit.

Bien que plusieurs noms composés doivent leur existence à l'originalité même des parents, ils portent en eux une histoire, des racines. Comment passer à côté de la pureté des Marie et des Jean? Qu'on le veuille ou non,

Marie, dans notre culture judéo-chrétienne, c'est la blancheur des âmes, l'acceptation, la joie de donner. Quant à Jean, il représente le goût du bien, de la justice. Marie et Jean se retrouvent d'ailleurs dans plus du tiers des prénoms composés, ce qui n'est certes pas un hasard.

D'autres prénoms sont très populaires dans la composition d'un prénom composé. Vous trouverez donc des significations de prénoms simples dans la première partie de cet ouvrage. Pourquoi ne pas vous amuser à en créer d'autres?

L'orthographe des prénoms

Les prénoms qui suivent sont inscrits par ordre alphabétique. Comme plusieurs graphies existent pour chacun d'eux, il n'est pas question ici de noter toutes les possibilités. Une Marie-Anne ne sera pas différente d'une autre seulement si son nom s'écrit à la manière anglaise, Mary-Ann. C'est sa culture, ses origines et ses rencontres qui feront se distinguer.

Aussi, que votre garçon s'appelle Ian ou Yan, il n'y a pas là de signification particulière qui puisse différencier les deux. L'orthographe du prénom, bien qu'il suive les lois de l'étymologie, c'est-à-dire de sa provenance et de ses origines, est laissé à la discrétion des parents.

Par ailleurs, pour certains prénoms composés, les éléments qui le forment ont été juxtaposés de sorte qu'il devient presque un prénom simple. Par exemple, Andréanne reste un prénom composé même s'il s'écrit en un mot, car il comporte deux éléments, Andrée et Anne. L'originalité de son orthographe peut cependant plaire davantage. Il peut aussi déplaire...

Mais là n'est pas la question. Retenez seulement qu'il existe plusieurs graphies pour chaque prénom et qu'il revient aux parents de choisir celle qui convient le mieux à leur enfant. Dans ce livre, une seule graphie est proposée pour chaque prénom, ceci afin d'en inclure le plus grand nombre possible. À quoi servirait en effet un livre de 1000 prénoms qui en comporterait en fait 500 mais avec deux orthographes différentes chacun?

Les prénoms phares

Marie et Jean entrent dans plus du tiers des prénoms composés. Cela est une conséquence directe de notre culture judéo-chrétienne. En quelques lignes, voici ce qu'ils signifient.

MARIE

Marie existe depuis des siècles, et son nom n'a pas encore pris une seule ride. Elle est la nuit et le jour, obstinée et conciliante à la fois, rangée mais animée d'une belle folie... Elle est une mère attentionnée et juste, mais elle déteste les beaux parleurs et les hypocrites. Sa pureté d'âme n'est certes pas un mythe.

Voilà qui rend son utilisation dans les noms composés d'autant plus intéressante: la pureté et la dualité, associés à un second prénom, demeurent en s'activant, par exemple, auprès de la force de Anne, de la compassion de Geneviève ou de l'intelligence supérieure de Catherine. Fait à noter: Marie entre même dans la formation de prénoms composés masculins.

JEAN

Jean est un homme d'action. Courageux et téméraire, il déteste rester assis à ne rien faire. Son nom descend directement de Dieu. Tout comme Marie, il associe tous ses symboles à un autre prénom afin de créer des êtres passionnés et attentifs.

D'autres prénoms, comme Ian et Yvan, proviennent des mêmes origines. Ce sont des conjonctures culturelles qui ont provoqué des changements autant dans la consonance que dans l'orthographe de Jean.

PRÉNOMS DES ANNÉES 2000

Depuis quelque temps, on assiste au retour de nombreux prénoms qui avaient cours avant les années 50 au Québec et ailleurs dans la francophonie. Chez les garçons, outre ce phénomène, c'est l'influence anglaise qui se fait sentir dans l'attribution des prénoms, dont les plus populaires sont sûrement Kevin et Ryan. La modernité a aussi sa place, surtout chez les filles, avec les Axelle, Claudie et autres Roxelle.

Voici donc un aperçu des prénoms qui devraient être en vogue au tournant du millénaire. Cette liste comporte 100 prénoms pour les filles et autant pour les garçons.

Prénoms féminins

1. Abeille
2. Alexandra
3. Alice
4. Amélie
5. Anaïs
6. Andréanne
7. Anne
8. Aude
9. Audrey
10. Aurélie
11. Axelle
12. Barbara
13. Camille
14. Carmen
15. Catherine
16. Cathya
17. Céline
18. Chanel

19. Chloé
20. Christelle
21. Claudie
22. Clothilde
23. Cynthia
24. Cyril
25. Dana
26. Daphné
27. Doris
28. Dorothée
29. Élisa
30. Élise
31. Élodie
32. Émilie
33. Estelle
34. Esther
35. Eugénie
36. Éva
37. Ève
38. Fabienne
39. Frédérique
40. Gabrielle
41. Gaëlle
42. Jacinthe
43. Jeannie
44. Joëlle
45. Jolène
46. Josée
47. Josiane
48. Judith
49. Julie
50. Juliette
51. Kathleen
52. Kellie
53. Kim
54. Lana
55. Laura
56. Laure
57. Laurence
58. Léa
59. Léonie
60. Lili
61. Lisa
62. Madeleine
63. Madeline
64. Mara
65. Mathilde
66. Maude
67. Mélanie
68. Michaëlle
69. Mireille
70. Myriam
71. Nadine
72. Noëlle
73. Noémie
74. Odile
75. Rachel
76. Raphaëlle
77. Reine
78. Renée
79. Rochelle
80. Rosa

81. Rose
82. Rosie
83. Roxanne
84. Roxelle
85. Roxie
86. Sabine
87. Sandra
88. Sandrine
89. Sarah
90. Shelley
91. Sofia
92. Sophie
93. Tina
94. Vanessa
95. Véronique
96. Vicky
97. Violaine
98. Virginie
99. Viviane
100. Yannique

Prénoms masculins

1. Adam
2. Alain
3. Alexandre
4. Alexis
5. Alonzo
6. André
7. Anthony
8. Antoine
9. Antonin
10. Armand
11. Aubert
12. Benoît
13. Bruno
14. Carl
15. Cédric
16. Charles
17. Christian
18. Christophe
19. Claude
20. Cyprien
21. Damien
22. David
23. Denis
24. Dominic
25. Donald
26. Edmond
27. Édouard
28. Émile
29. Émilien
30. Emmanuel
31. Éric
32. Étienne
33. Eugène
34. Fabien
35. Félix
36. Florent
37. Francis
38. François

39. Frédéric
40. Gabriel
41. Gaétan
42. Georges
43. Ghislain
44. Gilbert
45. Gilles
46. Grégoire
47. Guillaume
48. Guy
49. Henri
50. Hervé
51. Hugo
52. Hugues
53. Ian
54. Isaac
55. Jacob
56. Jérémie
57. Jocelyn
58. José
59. Julien
60. Justin
61. Kevin
62. Laurent
63. Loïc
64. Louis
65. Luc
66. Marc
67. Marius
68. Martin
69. Mathias
70. Mathieu
71. Max
72. Maxime
73. Napoléon
74. Nicolas
75. Normand
76. Olivier
77. Oscar
78. Ovide
79. Pascal
80. Patrice
81. Patrick
82. Philippe
83. Pierre
84. Quentin
85. Raphaël
86. Raymond
87. Robin
88. Samuel
89. Sébastien
90. Serge
91. Simon
92. Stéphane
93. Thierry
94. Thomas
95. Tristan
96. Victor
97. Vincent
98. William
99. Xavier
100. Yves

PRÉNOMS MASCULINS

Achille

Vous connaissez le célèbre personnage de bande dessinée Achille Talon? Eh bien son auteur devait connaître l'origine de ce prénom, car Achille parle beaucoup. Et même davantage! Il s'intéresse à tout et aime donner son opinion. Il est aussi très amusant.

Adam

Le premier homme, selon la tradition chrétienne, est celui qui tient le fort. Il est solide et ne craint pas les durs labeurs. Il cache sa vulnérabilité derrière un rideau de fer et il réserve sa chaleur humaine à quelques privilégiés seulement.

Adrien

Il est le bon père de famille, celui sur qui on peut compter. Un brin moralisateur, il se comporte malgré tout comme un ami fidèle lorsque ses proches ont besoin de lui. Il apprécie un peu de fantaisie, mais pas trop tout de même. Il faut doser…

Alain

L'étranger, celui qui vient d'ailleurs… Alain déstabilise par ses idées et ses comportements. Difficile à suivre, il est toutefois charmant et très «distrayant»! Avec lui, on ne s'ennuie pas! Il a besoin de comprendre ce qui l'entoure.

Albert

Il veut être le meilleur, celui que l'on regarde et que l'on admire. Mais la vie lui enseigne parfois durement l'humilité. Il a beaucoup d'énergie mais il use souvent de ses contacts pour arriver à ses fins. C'est un organisateur né qui se trompe rarement de cible. De la même origine, il y a notamment les prénoms Alban et Albin.

Alexandre

Il est un véritable combattant, celui qui remplit ses missions. Impétueux et frondeur, il déteste les gens tièdes: ce sont les extrêmes qui l'attirent! Bagarreur, il n'en a pas moins un grand cœur pour ses proches. Les diminutifs Alec ou Alex n'atténuent en rien ce bouillant caractère.

Alexis

La réserve le garde des blessures! Il tourne sa langue sept fois avant de parler, ce qui lui permet souvent d'aller plus loin dans ses réflexions et ses commentaires. Toujours prudent, il lui manque parfois cet élan qui le mènerait vers les sommets.

Alfred
Le sens de son nom fait référence à la paix dans l'univers. Il est le conciliateur, celui qui ne prend pas nécessairement partie mais qui sait guider des adversaires vers la réconciliation. Ami fidèle, il garde ses distances et évite le conflit d'intérêts.

Alonzo
Cette forme espagnole d'Alphonse connaît de plus en plus de popularité de nos jours. Alonzo a le regard clair et l'esprit vif. Il aime les choses simples, mais ne déteste pas résoudre de grandes questions à l'occasion. Il prend les défis un à un, mais il a aussi besoin de repos entre chacun.

Alphonse
Grand sensible, Alphonse (Alphie pour les intimes) ne montre pas ses émotions au premier venu. Il faut passer de longues heures en sa compagnie avant de voir le moindre signal... Responsable et fier, il déteste les complications inutiles. Vive la simplicité!

André
Il aime se réaliser, accomplir des exploits. S'il est aventurier, il goûtera aux joies du grand air

et partira à la découverte des plus hauts sommets. S'il est davantage intellectuel, il ira loin dans l'étude et la recherche. Dans son élément, il ne se laisse déranger aucunement. Andréas est un peu plus rêveur.

Antoine

Le jeune Antoine subit la pression issue de ses talents. On ne doit certes pas lui en ajouter! Bien guidé, il deviendra un homme respecté, voire redoutable pour ses adversaires. Mais il a besoin de beaucoup d'espace pour s'émanciper entièrement. Son côté enfantin est plus marqué dans les formes anglaises Anthony et Tony. Antonin est un garçon très moqueur…

Armand

Il semble froid et dur. C'est qu'il mène ses affaires avec beaucoup de concentration et une étonnante efficacité. Il préfère travailler trois fois plus fort plutôt que de terminer second. La défaite le répugne. La famille est son clan, et il se donne corps et âme pour elle.

Arnaud

Il avance dans la vie étape par étape. S'il prend son temps pour accomplir chacun de ses objectifs, il ne s'assoit toutefois pas longtemps sur ses lauriers! C'est un bagarreur optimiste, toujours prêt à venir en aide à ses proches et à relever de nouveaux défis.

Arthur
Grand travailleur, qu'il soit manuel ou intellectuel, il sait que toute sueur mène à un résultat. Il entend gagner sa vie pour sa famille, qu'il chérit au plus haut point. Les sentiments n'ont que peu d'espace pour s'exprimer dans sa vie. Il est solide comme le roc.

Aubert
Il est influençable, mais il apprend à faire la part des choses. Un projet à la fois lui suffit, sinon il se perd dans les labyrinthes qu'il a lui-même créés. Il est animé d'une belle générosité et d'un grand altruisme, mais il s'attend aussi à beaucoup en retour.

Augustin
Il avance comme si aucun obstacle ne pouvait le ralentir. Il n'a peur de rien ou presque, mais il a ses limites... Aussi découvre-t-il parfois avec stupeur qu'il doit améliorer ses connaissances ou sa forme physique pour élever ses standards. Il apprend de ses erreurs.

Aurèle
Ses découvertes lui appartiennent pleinement, car il n'aime pas suivre le courant. Il voit toujours les failles dans un mur de béton; il est celui qui voit le jour là où tous broient du noir! Les gens l'aiment pour son originalité, mais il ne se laisse pas approcher si aisément.

Bastien
Véritable félin humain, il se promène dangereusement de surprises en découvertes sans jamais subir les contrecoups de ses quelques rencontres d'infortune. Il se rit des obstacles et cherche avant tout l'exaltation. Et ce n'est pas la solitude qui l'effraiera.

Benjamin
Ce «fils de la chance», comme le veut l'origine de son prénom, a l'avenir ouvert devant lui. Il doit faire preuve de jugement, car il a souvent deux possibilités à la fois. Il fait certes de mauvais choix, mais il assume ses responsabilités malgré les «j'aurais donc dû»...

Benoît
Son besoin de perfection peut aller jusqu'à l'étouffer, le rendre fou. Il doit apprendre à jauger, à réfléchir aux solutions avant de prendre panique. En confiance, il prend le temps de bâtir son nid. S'il se construit des bases solides, il pourra y ériger ce qu'il voudra.

Bernard
Il dirige à sa façon, comme s'il avait toujours su être un patron. Ses prises de position déplairont à plusieurs, mais il sait faire passer ses idées. Il a besoin de luxe, mais se contentera d'un doux bonheur si celui-ci comble ses attentes. Il n'a pas besoin de tout posséder pour être heureux.

Blaise

Y a-t-il une vie ailleurs dans l'univers? C'est la question qui tenaille Blaise. L'amour et les pourquoi sont omniprésents dans son existence, mais ses intérêts changent de jour en jour. On ne se lasse pas de son imagination, mais certains de ses proches le voudraient plus terre à terre.

Bruno

Il est un soldat de la vie de tous les jours. Il aime les défis et n'hésite pas à se lancer à l'aventure. Pour ses proches, il est un pilier. Son éthique laisse toutefois à désirer, surtout s'il n'a pas un modèle de justice à suivre... Investit d'une mission, Bruno cherche toujours à atteindre l'objectif final.

Camille

Quelle puissance! Camille est un dur, une force de la nature. Il possède beaucoup d'endurance, mais il n'aime pas être dérangé dans sa tâche. Il est quelque brusque aussi, surtout lorsqu'on l'interrompt! Avec lui, c'est toujours tout ou rien.

Carl

Physique ou intellectuelle, sa force est impressionnante. Il est ouvert aux nouvelles idées, ce qui lui permet d'économiser ses énergies plutôt que d'avoir à débattre inutilement. Il a un optimisme contagieux et ne se gêne pas pour le transmettre.

Cédric
Le courageux Cédric ne craint pas les champs de bataille, mais il doit éviter d'être trop téméraire. Son désir d'indépendance fait de lui un être à part. Il se hisse ainsi au-dessus de la mêlée et fait des jaloux autour de lui. Il apprend lentement mais sûrement la générosité envers ses vrais amis.

Charles
La discipline est au cœur de la vie du jeune Charles. Tantôt hyperactif, tantôt rêveur, il laisse peu de répit à ses proches. Véritable girouette, il se lance à l'attaque de tout bord tout côté. Il possède beaucoup d'adresse, mais il doit prendre garde de ne blesser personne au passage. Un sens de l'humour plus dominant se remarque chez Charlie. Les prénoms Charlot et Carol font partie de cette même famille.

Christian
Sociable et brillant sont les mots qui définissent le mieux cet être sûr de lui, confiant dans le présent et l'avenir. Tellement qu'il finit par ne plus voir les obstacles, les dangers. Les défaites lui sont donc salutaires en certaines occasions. Comme il sait apprendre de ses erreurs, il ne les répète pas.

Christophe
Il est l'homme des grandes occasions. La vie coule autour de lui, et il n'en subit jamais, ou si

peu souvent, les secousses. Mais quand la situation l'exige, il devient une bouée de sauvetage. Il n'hésite pas à venir en aide à ses proches et reconnaît les profiteurs.

Claude

Fidèle à jamais, Claude est un leader silencieux. Il n'a pas à s'imposer, car le vie se charge de le placer sur la route de gens qui auront besoin de lui. Son équilibre semble inébranlable, mais il a ses limites. Chez lui, il a ses habitudes, et on ne dérange pas impunément son univers.

Clément

Les mots coulent de source chez lui. Il est convaincant et aussi ouvert d'esprit, ce qui lui permet de tenir des discussions teintées de sagesse. Peu turbulent, Clément est un bon élève qui étudie les situations avant de se lancer à l'aventure.

Conrad

Il a du mal à joindre le rêve et la réalité, aussi est-il un éternel insatisfait. Cela ne fait certes pas de lui un être inintéressant, au contraire. Sa belle naïveté reste touchante. Une fois qu'il sait ce qu'il veut faire, il trouve habituellement sa voie. Auparavant, il aura vécu.

Constant

Sa force de caractère est assez particulière. Il est à la fois bien ancré dans ses positions, mais il ne rugit que très rarement devant ses adversaires. Il obtient gain de cause grâce à sa grande patience. Énergique sans être dispersé, il sait canaliser ses élans de passion, ce qui est moins sûr avec la forme Constantin.

Cyprien
Il montre beaucoup d'enthousiasme dans tout ce qu'il entreprend. Il aime discuter, discuter avec des amis et même parfois échanger de façon plus musclée. Il est sociable, entrepreneur et travailleur. Par contre, il a du mal à s'y retrouver dans les dédalles administratifs.

Damien
Il est celui qui sait dompter les fauves et vaincre l'adversité. Mais pour y arriver, il emploie ses propres méthodes... Ingénieux et original, Damien impressionne par sa vivacité d'esprit, mais ses propos et actes peuvent parfois causer quelques blessures ici et là.

Daniel
Il court constamment des risques, convaincu qu'il est d'être né sous une bonne étoile. Et il a raison: d'autres se seraient brûlé bien avant! Son charme désarmant déstabilise les plus sévères de ses proches. Cet effet est moins fréquent chez les autorités toutefois!

David
Il représente le petit qui réussit, contre toute attente, à vaincre le méchant Goliath. David est aimable comme tout. Ses idées ont ce côté naïf qui plaît tant aux uns mais qui fait tellement rire les autres. Il doit donc se forger une solide carapace afin de supporter les railleries, mais son grand cœur demeure. Les prénoms dérivés Dave et Davey montrent un caractère plus terre à terre.

Denis
Ce qu'il aime les gens, les discussions animées et les fêtes! Denis reste tout de même un mystère pour ses proches, car il se dévoile peu. On croit le connaître et, soudainement, il se transforme. Difficile à suivre, il se donne beaucoup de mal à lui-même. Mais il a tant d'énergie! Il sait rebondir.

Didier
Ce prénom désigne un enfant désiré, voulu et souhaité. Didier sait qu'il est destiné à de grandes réalisations, aussi se met-il tôt à la tâche. Il place toutes ses énergies dans un seul but. Il aurait peut-être avantage à varier les plaisirs…

Dominic
Ce qu'il possède lui appartient en tout, jamais en partie. Il est fier de ses réalisations et défend son territoire avec acharnement. Ce caractère

fiévreux lui cause parfois certains ennuis. Donner fait beaucoup de bien en certaines occasions... L'apprentissage de la vie se fait avec une réelle résistance chez lui.

Donald
Oubliez les moqueries! Donald passe bien au-delà de la mêlée grâce à son fort caractère doublé d'un sens du leadership exceptionnel. Attention aux excès d'égoïsme cependant, car il y perdrait de nombreux amis. Il doit aussi voir à s'améliorer, car un chef ne peut rester les bras croisés.

Edgar
Il est très difficile d'induire Edgar en erreur. Il a des dons de clairvoyance dont il n'hésite pas à se servir lorsqu'il en ressent le besoin. Lorsqu'il attaque, son tir est imparable! En confiance, il remplit ses devoirs de bon citoyen avec minutie, et ses proches lui sont très chers.

Voir page 269.

Edmond

Il doit apprendre à partager très tôt, car il a une tendance à l'avarice! Pour les gens qu'il aime, il devient une sorte de protecteur, un gentil «père de famille» prêt à tout donner pour le bonheur des siens. Pour ses adversaires, il est sans pitié.

Édouard

Il agit tel un grand argentier, c'est-à-dire qu'il calcule ses avoirs avant de se lancer dans quelque dépense que ce soit. Mais il a ce côté bon enfant qui le rend si sympathique aux autres. Il peut donc se permettre quelques excentricités.

Émile

Travailleur infatigable, il sent la compétition féroce autour de lui. Loyal, il est d'une aide précieuse pour ses proches, même s'il préférerait parfois une plus grande quiétude. Dans n'importe quel domaine, il met du temps à prendre sa place, car il veut être sûr de son coup. Chez Émilien, le côté humaniste prend le dessus.

Emmanuel

Il a une belle confiance en lui, et cela se traduit par des amitiés fortes et un goût du risque assez élevé. Aux situations inattendues, il réagit avec doigté. C'est qu'il a un bon sens de l'improvisation. Ami fidèle et solide, il a un cœur d'or pour ses proches.

Éric
Sa virilité ne fait aucun doute! Il garde ses émotions pour lui seul la plupart du temps, car il n'aime pas les intrusions indues dans sa vie privée. Il aime bien la fête, mais il connaît aussi le poids de ses responsabilités. Il apprend vite où et quand s'arrêter.

Étienne
Plutôt effacé en public, il aime rester dans l'ombre, et la solitude lui permet de se ressourcer. Il a le dos large, aussi doit-il apprendre à dire non. Il aime qu'on l'apprécie à sa juste valeur, et c'est en petits groupes ou en tête à tête qu'il brille le plus.

Eugène
Il aime la vie et tout ce qu'elle comporte de bonheurs et de malheurs. Les difficultés ne le freinent pas. Au contraire, il s'en nourrit et grandit avec elles. Pour ses proches, il est un précieux allié. Pour ses ennemis, il est un adversaire presque imbattable. Mais il n'aime pas beaucoup les combats épiques.

Fabien
Jeune, il n'y a aucune limite à ses frasques! Rieur et moqueur, Fabien aime les gens qui ont de l'esprit. S'il semble brouillon en public, il est très rangé dans sa vie privée. Il a des convictions profondes et sait comment obtenir ce qu'il désire.

Fabrice
Il ne fait rien comme les autres et, pourtant, il attire énormément de sympathie par la simplicité de ses démarches. Un sentiment de paix s'installe souvent dans le cœur du jeune Fabrice et, plus tard, il grandit avec des idéaux qui l'honorent. Réservé, il n'en est pas moins un grandiose ami.

Félix
Le bonheur transporte sa vie. Et Félix sait comment tirer partie des diverses situations qui se présentent. Un imprévu survient? Il en retire une leçon de vie. Il a un peu de mal à demeurer concentré en raison de tout ce qui se passe autour de lui, autant d'événements qui retiennent son attention.

Fernand
Les insuccès l'attristent au plus haut point. Pourtant, il peut se consoler avec autre chose, tant il a une vie aventureuse. Toujours pris dans un projet quelconque, Fernand finit par se trouver une niche et goûte pleinement à son bonheur lorsqu'il se présente.

Florent
Éternel insatisfait, Florent ne dédaigne pas les combats occasionnels. Il aime s'éloigner des sentiers battus et partir à la découverte. Il s'y trouve, bien souvent! Fantaisiste et quelque peu

rêveur, il a des idées à la tonne, mais il en oublie souvent plusieurs en chemin.

Francis
Son besoin de liberté l'emmène parfois sur des terrains dangereux. Il aime aller au bout de lui-même et n'hésite pas à se relever après une chute. Il juge les temps difficiles, car ses objectifs sont très élevés. Plus réaliste, il pulvériserait des records de réussite. Mais à vaincre sans péril...

François
Ce qu'il parle! Il adore discuter, et il le fait parfois avec force et verve. Les réunions en petits groupes représentent pour lui des moments privilégiés, où il peut apprendre tout en enseignant à ses collègues ou amis les rudiments de ce qu'il connaît le mieux: la vie.

Frédéric
Il a besoin de croire en ses moyens, aussi décide-t-il très rapidement de construire sa vie et son environnement comme il le conçoit. Dans son élément, il déteste qu'on lui dicte ce qu'il doit faire. Toutefois, il se conforme aux règles en vigueur dans d'autres milieux. Il démontre un réel respect envers les autorités.

Gabriel
Il a des dons de communicateur et s'en sert pour convaincre... et charmer! Il obtient sou-

vent ce qu'il désire, car il est tenace. Petit ou grand, il aime s'amuser. Il possède un excellent jugement et n'hésite pas à conseiller ses proches. Ils en sont les grands gagnants.

Gaétan
Artiste né, Gaétan aime ce qui se rapporte au mouvement, aux arts de la scène. S'il se lance dans le domaine culturel, il gagnera à étudier longuement les œuvres des grands maîtres. Il saura s'en inspirer et deviendra lui-même meilleur. Orgueilleux, il peine parfois à achever ce qu'il a entrepris.

Gaston
Il démontre de grands besoins affectifs. Il prend bien soin de ses proches, qui eux seuls peuvent l'apaiser dans ses souffrances. Il se souvient des gens qui l'ont blessé, mais n'éprouve pas de rancœur envers ses amis ayant eu un ou deux écarts de conduite. Il est fiable et enjoué, ce qui en fait un excellent ami.

Georges
Une dualité l'habite. D'un côté très dur et autoritaire, il se montre par ailleurs rêveur et ouvert d'esprit. C'est qu'il ne peut s'empêcher de croire à l'évolution du genre humain: il ne peut donc s'ancrer totalement dans le conformisme. Les durs labeurs ne l'effraient aucunement.

Gérald

Il domine son univers tel un monarque sur son trône! Il a ce besoin de se sentir dominant, admiré. Ramené au niveau du sol, il s'aperçoit qu'on n'est pas roi tous les jours et que d'autres ont besoin d'attention. Gérald peut se servir de son charme pour gagner les cœurs.

Germain

Il aimerait tant qu'on l'aime, mais il ne s'y prend pas toujours de la bonne façon. Il est très émotif et a tendance à vouloir manipuler les gens. Ce n'est pas par méchanceté cependant mais simplement parce qu'il a besoin de se sentir utile et apprécié. Il gagne à demeurer simple et à user de son bon sens de l'humour. La forme Hermann est de plus en plus populaire.

Ghislain

Il doit prendre le temps de respirer une fois de temps en temps. Sa vie se déroule à une vitesse folle, comme si Ghislain avait peur de manquer quelque chose. Il se complique souvent les choses inutilement, et son intuition le sort souvent d'embarras.

Gilbert

Il a du succès parce qu'il sait se servir à la fois de son charme et de ses talents pour parvenir à ses fins. Il est un lieutenant de premier plan, qui mérite la confiance de ses supérieurs. Créatif, il a un grand cœur et aime beaucoup la présence d'enfants dans son entourage.

Gilles
À couteaux tirés avec lui-même, il ne sait pas toujours à quel saint se vouer. Il a un équilibre précaire, tiraillé qu'il est par ses multiples talents et champs d'intérêts. Il sait se défendre. Pour ses proches, il risquerait tout ce qu'il possède et encore davantage.

Grégoire
Ce prénom fait référence à un veilleur. Grégoire est une personne qui garde les yeux ouverts et reste vigilante afin d'éloigner le mauvais œil de ses proches. Fidèle et loyal, il doit apprendre la patience puisque son impulsivité gâche ses meilleures intentions.

Guillaume
Rêveur et égocentrique, il n'en aime pas moins son prochain comme lui-même! Il voit loin en avant, et il a bien raison: il a beaucoup à préparer avant d'atteindre ses objectifs. Il a parfois du mal à répondre à ses obligations quotidiennes, mais ce n'est pas par manque de bonne volonté.

Gustave
Il aime quand «ça joue du coude»! Bagarreur à ses heures, il tire le meilleur de ses amis et

collègues de travail. Son courage se transforme par contre souvent en témérité, mais il n'a pas peur de recevoir des coups. Il s'assagit positivement avec les années.

Guy

Il est à l'écoute de son entourage. Il fait rarement le premier geste, de crainte de s'imposer. Quand on lui fait de la place, il dévoile ses grands talents. Calme et pondéré, il a des idéaux d'amour et de justice, et la famille est très importante pour lui. Il sait aussi prendre du recul lorsque cela devient nécessaire. Le prénom Guylain présente grosso modo les mêmes caractéristiques.

Harold

Il possède une puissance brute impressionnante. Il peut mener un projet de longue haleine sans jamais s'épuiser. Les durs labeurs ne l'effraient pas le moins du monde, car il est sérieux et appliqué à la tâche.

Henri

Dans son milieu, il est le chef et assume les responsabilités de cette fonction. Il contrôle bien ses impulsions, mais résiste mal aux charmes des sens. L'amour a une grande place dans sa vie. Le travail n'est qu'un mal nécessaire, mais aussi bien le faire correctement! Henri a d'ailleurs beaucoup d'idées.

Hervé

Moqueur, il sait aussi montrer du sérieux lorsque la situation l'exige. Il est autonome mais jamais solitaire, car il aime les contacts humains. Il reste calme devant l'adversité et sait étudier les problèmes afin d'y trouver des solutions. Il aime se réaliser pleinement par son travail mais aussi par ses relations.

Honoré

Comme ce prénom l'indique, Honoré se trouve sous les feux de la rampe. Pratique, il sait améliorer son sort et son environnement immédiat. C'est un adepte du confort, qui sait se servir de ses mains. Capricieux et un brin égocentrique, il n'en est pas moins inventif.

Hugo

Travailleur infatigable, il est toujours là lorsqu'un de ses proches a besoin d'aide. Évasif, il disparaît parfois de la carte avant de ressurgir tout bonnement comme si rien ne s'était passé. Il aime sentir la vie autour de lui. Il a une belle énergie et un sens de l'humour qu'il a besoin de partager.

Hugues

Esprit vif et brillant, il ne semble jamais bousculé par les événements. C'est plutôt lui qui produit ses occasions de se mettre en valeur. S'il ne se sent pas en confiance, il attend patiemment les conditions gagnantes. Dans ses périodes fastes, il s'engage à plusieurs choses et doit trouver des solutions pour régler certains conflits d'horaire.

Ian

Il manque souvent de confiance lorsqu'il se trouve en compagnie de gens qu'il connaît peu ou pas du tout. Sensible, il résiste mal aux bousculades. Auprès de ses proches, il dévoile toute la richesse de son cœur. Il ne prend pas souvent la parole mais, lorsque cela se produit, on l'écoute. Il y a beaucoup de variantes graphiques et phonétiques à ce prénom, dont Yan, Yannick, Ianik, etc.

Isaac

Il aime rire. La vie est pour lui une longue suite de comédies burlesques. Il aime bien les fêtes et les soirées entre amis, où ses talents d'acteur le placent à l'avant-scène. Dans la foule, il se sent un peu laissé pour compte. Il ne reste jamais très longtemps solitaire, même si ces moments passagers lui permettent de se ressourcer.

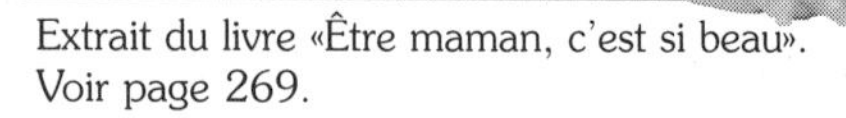

Voir page 269.

Jacob

Il a le dos large, mais ce n'est pas une raison pour attraper tous les malheurs du monde! Jacob mêle parfois la passion et la raison. Lorsqu'il se sent fatigué, il n'accepte plus d'être le confident, celui à qui on peut raconter tous ses problèmes. C'est qu'il a peut-être un trop grand cœur, et il a aussi besoin d'attention.

Jacques

Il aimerait tout savoir et tout comprendre, mais ce n'est pas vraiment possible. Il a bien du mal à admettre que quelque chose le dépasse, aussi faut-il l'encourager à demander de l'aide. Orgueilleux, il ne ferait pas les premiers pas. En amitié, il est tenace et fidèle. Les dérivés de ce prénom présentent quelques variantes de caractères, comme Jaquelin (plus ouvert), James (très sociable) et Jacquot (bon enfant).

Jean

Il a toutes les qualités du monde… et les défauts qui viennent avec! S'il canalise ses énergies, il saura adoucir son bouillant caractère. Il reste tout de même excessif et allergique aux ultimatums… On admire son courage et sa détermination, en même temps qu'on craint ses griffes.

Jérémie

Il n'aime pas beaucoup se comporter comme le reste des gens. Aventurier, il aimerait découvrir des endroits où personne n'a jamais mis les pieds. L'exil ne lui fait pas peur, tout comme les contacts humains. Perfectionniste, il n'accepte qu'une position: la première.

Jocelyn

Difficile à suivre parfois, il a besoin d'amis mais aussi de solitude. Il aimerait avoir le statut de vedette mais a du mal à imposer ses idées et ses talents. Doué pour les arts, il aurait tout intérêt à laisser parler ses passions plutôt que sa raison, qui a au moins le mérite de le garder les deux pieds sur terre.

Joël

Il adore organiser des sorties, des rencontres sociales et des événements. Émotif, il fait montre de reconnaissance envers ses plus proches alliés. Il risque de se brûler à force de consacrer autant d'énergie aux autres, mais il en ressent un vibrant besoin. Excellent communicateur, il partage ses passions avec fougue et bonheur.

Jonathan

Il est un cadeau divin, le petit ange qui égaye la vie de ceux et celles qui le côtoient. À recevoir tant d'attention, Jonathan finit par devenir roi et maître des lieux, ce qui ne plaît pas à tous! Mais à force de comprendre et de parler, il découvre peu à peu la puissance du cœur.

Joseph
Confiant et fonceur, il possède beaucoup d'énergie pour mener à bien ses projets et atteindre ses objectifs. Parfois colérique, il cache dans ses accès de passion incontrôlée des qualités de cœur indéniables. Il n'est pas tellement du genre à rechercher les compromis. Les dérivés de ce prénom (José, Jos) possèdent à peu de choses près ces mêmes traits de caractère.

Jules
Il a un très grand sens de l'humour, avec lequel il s'amuse à étaler sa culture. Il n'a certes pas peur du ridicule, et les situations loufoques font partie intégrante de ses expériences. Bon chef de clan, il sait intervenir quand c'est le temps. Le stress n'est pas au menu de son existence!

Julien
Il a bon cœur, mais ne se laisse jamais tromper deux fois par la même personne. Cette intransigeance lui permet d'éviter les blessures à répétition. Il aime s'entourer de gens dévoués et authentiques en qui il peut placer sa confiance. Perfectionniste, il apprécie qu'on l'accepte tel qu'il est. Son bonheur passe bien avant son portefeuille.

Justin
Il a parfois du mal à distinguer le rêve de la réalité. Il est pourtant bien ancré au sol, mais

ses objectifs de vie semblent trop élevés. Quand il parle, il apprécie recevoir l'attention qu'il mérite. Mais il sait aussi laisser la place. Il aime l'argent pour le dépenser, pas pour l'épargner.

Kevin

L'un des prénoms d'origine anglophone les plus populaires dans la francophonie. Kevin aime flâner et se laisser aller au gré du vent. Lorsqu'il se trouve un objectif, il change son rythme. Sociable, il est très imaginatif et il rayonne au cœur de la foule.

Laurent

Il a tendance à faire confiance aux gens dès le premier abord. Il s'expose ainsi à bien des déceptions, mais il sait acquérir de l'expérience et ne pas répéter ses erreurs. Bien intentionné, il parle ouvertement et sans gêne. S'il commet des impairs, il prend la responsabilité de ses paroles et de ses actes.

Léonard

Ce prénom signifie «fort comme un lion». Celui qui le porte se voit donc chargé d'une mission... qu'il lui reste à découvrir. Le poids de ses responsabilités sera-t-il trop lourd? Il a de grandes capacités, mais il doit apprendre à faire confiance. À deux, ça va souvent mieux.

Loïc

Il lutte constamment pour sa survie! Bagarreur et teigneux, il aime les joutes verbales musclées et les défis. Il doit prendre garde de ne pas dépasser certaines limites. C'est un vrai leader, celui qu'on préfère suivre pour ne pas avoir à l'affronter. Coriace dans sa vie professionnelle, il l'est un peu moins dans le confort de son foyer.

Louis

Il est le roi, celui qui dirige et qui sait comment mener son troupeau. On ne le contredit pas avec du vent! Pour le convaincre, il faut s'armer d'arguments solides. Il n'ouvre pas son cœur facilement et se montre rancunier, mais il ne fait jamais faux bond à sa famille.

Luc

Il est la lumière, celui qui apporte des éclaircissements, qui sait voir plus loin. Séducteur né, il réussit tout ce qu'il entreprend avec une apparente facilité. Il sait aussi demander de l'aide lorsqu'il en sent le besoin. Seuls ses proches connaîtront ses réelles difficultés, car il ne place pas sa confiance en n'importe qui. Lucas a un petit côté enfantin.

Marc

Il n'est jamais un simple soldat. Marc dirige; il est celui qui donne les ordres, élabore des stratégies et dicte la bonne marche des opérations.

Il accepte difficilement la critique à son égard. Sans un bon encadrement, il peut se montrer dictateur, mais c'est qu'il croit en sa façon de voir la vie, ordonnée et paisible. Quelques notes de douceur et d'humour caractérisent les dérivés Marcel et Marcellin.

Mario

Avec lui, on ne lésine pas sur la qualité. Mario est un homme de tête, un leader qui aime l'ombre mais qui ne déteste pas la lumière des projecteurs. Allié sans pareil, il sait comment tirer le maximum de ses associés. Il réserve son cœur à une infime minorité de privilégiés. Aux yeux des autres, il est un bourreau de travail. Ce dernier trait de caractère est encore plus présent chez Marius.

Martin

Il a un grand sens des responsabilités. Plutôt introverti, il ne laisse pas voir ses sentiments à tout le monde. Il se met beaucoup de pression sur les épaules, car il veut plaire et impressionner. Il rencontre peu d'obstacles à sa route puisqu'il se fait des alliés partout où il passe. On aime son volontarisme.

Mathias

Réaliste, il aime les choses concrètes, ce qu'il peut voir et toucher. Travailleur acharné, il déteste les demi-mesures et les compromis. Il mène sa vie comme il l'entend et ne se fie pas souvent aux jugements des autres. Sous des dehors bourrus, il cache toutefois une belle sensibilité.

Mathieu

Il aimerait améliorer son sort, mais il a beaucoup de mal à accepter les insécurités passagères qui vont avec les changements de cap. Bon travailleur, il aime savoir que son travail est apprécié. Il n'aime pas afficher sa vulnérabilité au grand jour, aussi attend-il longtemps avant de se confier à un proche.

Maurice

Si on n'y portait pas plus attention, on croirait qu'il est rangé, sérieux et allergique aux folies. Et pourtant, Maurice est un véritable boute-en-train. Amusé par les réactions des gens, il aime surprendre et même choquer parfois. Une fois le stade de la surprise passé, on découvre un être fort charmant.

Maxime

Il est le plus grand, celui qui s'investit corps et âme dans un projet et remplit sa mission. Il aime se mettre de la pression, se fixer de grands objectifs. Beau parleur, il a des projets plein la tête, mais il n'aime pas avoir de dettes. Le diminutif Max présente un caractère plus doux, plus nuancé.

Michel
Il croit avoir tout vu, mais la vie lui réserve des surprises. Chez Michel se cache le meilleur et le pire. Bien orienté et auprès de gens de bien, il devient un formidable jeune homme qui sait exploiter pour le mieux ses talents. Mal conseillé, il a fort à faire pour accepter les épreuves.

Napoléon
Il y a toute une charge émotive rattachée à ce prénom historique. Les objectifs que se fixe Napoléon ne sont pas toujours réalistes. Il a des idéaux majestueux de justice et de paix dans le monde, mais il ne sait pas toujours où commencer pour mener ses projets à bien. Sensible, il est aussi extravagant et fier.

Nicolas
Il accorde beaucoup d'importance à sa vie amoureuse et à ses relations amicales. Toujours souriant, il garde le moral même dans des situations extrêmes. Il aime le contact humain et les grands rassemblements. C'est un leader silencieux: toujours prêt à aider, il attise le respect chez les gens qui le côtoient.

Normand
Sérieux et responsable, il met ses énergies à acquérir des connaissances sur tout et rien. On ne lui impose pas facilement des idées: il faut savoir le convaincre! Il n'hésite pas à courir des

risques. Il aime s'accomplir dans son travail, alors il change d'emploi s'il n'y arrive pas.

Olivier

Beaucoup moins hautain qu'il n'y paraît, Olivier aime être le centre d'attraction. En contrôle de ses émotions, il accepte la critique sans s'opposer. Il a une vie amoureuse assez tumultueuse, car son cercle d'amis prend beaucoup de place. Il arrive à s'amuser partout, dans ses loisirs comme au travail.

Oscar

Animé d'un bel altruisme, Oscar aime les causes sociales et les contacts humains. Il est toujours prêt à aider quelqu'un dans le pétrin. Il a beaucoup de volonté, et ses énergies illimitées lui permettent de relever de grands défis. Il n'est pas facile de lui faire entendre raison lorsqu'il est sur une lancée.

Ovide

Il a un cœur grand comme la terre entière. Il déteste avoir affaire à des gens mal intentionnés.

Campé dans ses positions, il semble parfois entêté et même davantage! Ce n'est pas avec des arguments de premier niveau qu'on lui fera changer d'avis.

Pascal

Réaliste, il aime les choses simples et la vie bien rangée. La famille est très importante à ses yeux, car il y consacre la grande part de ses énergies et de ses talents. Il ferait tout pour aider un de ses proches, mais on ne le triche pas deux fois. Sa patience a des limites, même si son bon cœur lui propose toujours de donner une autre chance au coureur...

Patrice

Il aimerait changer le monde, mais cela lui demanderait un peu trop d'énergie. Il se contente donc d'améliorer son sort et celui des gens qu'il aime. Il apprécie son petit nid amoureux et la simplicité de son environnement immédiat. Critique, il met beaucoup d'ardeur au travail.

Patrick

Que de talents dans une seule personne. S'il réussit à exploiter ses ressources, s'il reçoit un bon coup de main, il extériorise un trésor immense. Cette possibilité de réussite le tourmente, car il n'est pas des plus patients! Quoi qu'il arrive, il reste fidèle à ses amis.

Paul
Il voit tout très grand. Son orgueil le place parfois dans des situations délicates, car il aime faire l'étalage de ses connaissances. Il en met trop parfois… C'est par contre un perfectionniste. Pris en défaut, il redouble d'efforts pour prouver sa grande valeur. Chez Paulin, on retrouve aussi un soupçon d'humour.

Philippe
Il aime les grands espaces, se sentir libre comme l'air. Ses obligations le ramènent à la dure réalité, au cœur de laquelle il se montre dur et acharné. Il veut réussir au prix de ses constants efforts. Mais quel bonheur il retire d'avoir droit à un congé bien mérité. Sa récompense, c'est le dépaysement.

Pierre
Il a besoin de se sentir aimé, aussi fait-il les premiers pas de façon à briser les barrières de la timidité. Il est fier de ses réalisations et n'accepte pas qu'on puisse détruire l'une de ses œuvres. Perfectionniste, il a du mal à accepter la critique, même constructive, du moins à prime abord. Pierrot, quant à lui, est tout le contraire d'un jeune Pierre.

Quentin
Il hésite à prendre la parole en public et à se lancer au devant de la scène. Son pouvoir, il

l'exerce en coulisses, là où il peut convaincre les gens un à un du bien fondé de sa démarche. Doué pour les relations amicales, il a du mal à se ranger en amour parce qu'il aime beaucoup conserver sa liberté et son indépendance.

Raphaël

Il est très instinctif. Il «sent» les choses. La logique n'est pas son fort avec autant d'intuition. Il sait cependant où arrête sa liberté. Agréable avec ses proches, il garde ses distances avec le monde en général à cause d'une certaine timidité.

Raymond

Il est le protecteur, le grand frère, celui qui accompagne une personne sur le droit chemin. Raymond est brillant, mais il n'a pas besoin de faire l'étalage de ses connaissances pour qu'on le reconnaisse. Il est fondamentalement bon, et son expérience le sert bien. Sous des dehors un peu froids, il a un grand cœur.

Rémi

Il sait qu'il a beaucoup à faire pour atteindre ses objectifs. Il travaille fort pour y arriver, beaucoup plus qu'il n'y paraît en fait. En effet, Rémi est charmant et attachant. D'une belle simplicité, il accepte les invitations. Mais il apprend qu'il ne peut pas tout faire, et encore moins tout seul.

Renaud
Il a un esprit vif et inventif. Toujours à l'affût de la nouveauté, il se montre très critique envers les gens qui n'osent qu'à moitié. Lui est entier, parfaitement en harmonie avec son désir de créer un monde meilleur. Par contre, il change souvent d'idée et se trouve constamment de nouvelles passions.

René
Il est très actif et présent puis, tout à coup, il disparaît. C'est qu'il refait ses forces. Il a besoin de moments de solitude pour savoir où il en est. Il revient alors en meilleure forme que jamais! Ses absences peuvent irriter cependant. Véritable conquérant, il sait comment gagner le cœur des gens.

Richard
Il est un leader en puissance, qui n'a pas besoin d'élever la voix pour être entendu. Il n'est pas habitué aux coups d'éclat, mais il sait se distinguer par sa stabilité et sa ténacité. Romantique et inventif, il fait en sorte que personne ne s'ennuie autour de lui.

Robert
Son petit univers est extrêmement important à ses yeux. Brillant, il mène sa vie avec un doigté précis et beaucoup de volonté. Au sommet de sa gloire, il est le centre d'attraction. Il a ses

exigences auprès de ses proches: on ne le dérange pas impunément et sans bonne raison!

Robin

Il sait obtenir ce qu'il désire sans pour autant élever la voix ou dicter ses vues. Il a beaucoup de charme, ce qui lui permet d'aborder les gens sans gêne et avec beaucoup d'adresse. Inventif, il se montre très persuasif lorsque la situation le commande. Sa réputation de leader n'est plus à faire.

Sabin

Excellent médiateur, il est à l'écoute des gens, et son esprit analytique lui permet de comprendre bien des choses. Plutôt effacé, il sait intervenir lorsqu'on a besoin de lui. C'est un homme des grandes occasions qui préfère se ressourcer dans la quiétude de son foyer.

Samuel

Éternel insatisfait, Samuel a parfois du mal à contrôler ses émotions. Son sang bouille en lui! Fougueux et attachant, il a un grand cercle d'amis et de connaissances. Il est souvent engagé dans diverses causes, et parfois à plus d'une en même temps!

Sébastien

Colérique et orgueilleux, il ne se gêne pas pour donner son opinion. Il apprend peu à peu à soupeser le pour et le contre... Il cache un cœur étonnamment tendre. Plus on le connaît, plus on le respecte. Mais ses guerres verbales font fuir bien des gens avant!

Serge

Généreux de cœur, il l'est aussi avec son portefeuille. Aussi doit-il souvent faire face à un gouffre financier important! Serge sait ce que signifie l'amitié. Il prend soin de ses proches, et sa grande imagination ouvre bien des yeux autour de lui. Rebelle, il ne connaît pas tellement les conventions sociales.

Simon

Il a besoin de l'approbation de ses pairs pour se sentir à l'aise. Grand rêveur, il lui arrive de croire en ses propres songes. Pour lui, les gens réalistes ne sont que des empêcheurs de tourner en rond! Il dépense beaucoup d'énergie à courir dans tous les sens. En confiance, c'est un être tout à fait charmant.

Stéphane

S'il ne se sent pas en confiance, il se montre nerveux et très maladroit. En pleine possession de ses moyens, Stéphane est fonceur et plein d'entrain. Son sens de l'humour touche pleinement la cible! Il a des idées d'avenir qui le mènent parfois très loin. Il est plus à l'aise dans un cadre humble et serein, comme la famille.

Théodore

Plein d'énergie, il est très tumultueux en bas âge. C'est qu'il est très curieux. Il aime comprendre ce qui l'entoure. La solitude l'effraie, car il est à l'aise parmi les gens, entouré de ses semblables. La forme Théo présente un caractère plus malicieux, plus aventurier.

Thierry

Il est un leader né. Les gens le suivent parce qu'il sait expliquer ses objectifs simplement mais sans cacher de faits ou arrondir certains coins... Il se sent dans son élément lorsqu'il a un but, aussi lointain soit-il, à atteindre. Il se montre patient et arrive à remplir les mandats.

Thomas

Il aime voyager, voir du pays et des gens. Il est très touché par la misère humaine et se lance souvent dans des missions à l'étranger. Conciliant, il écoute ce que les gens ont à raconter avant de porter un jugement. Il est fiable et très travailleur, ce qui en fait une sorte d'employé modèle.

Tristan

Il n'aime pas ce qu'il voit de la réalité, aussi a-t-il tendance à se réfugier dans ses rêves. Bien appuyé, il peut arriver à transformer son petit monde, sur lequel il exerce une influence positive. Il a une grande soif d'absolu, de grandiose, d'émerveillement.

Valérien

Il ne verse presque jamais dans l'excès. Réservé et sage, il conserve son calme dans les moments difficiles, ce qui l'aide à voir clair. On apprécie sa chaleur humaine, qu'il partage parcimonieusement. Homme de bien, il est un solide pilier dans la tempête.

Victor

Ce prénom signifie tout simplement «victoire»! Victor est d'ores et déjà un vainqueur, celui avec qui on s'associe pour réussir. Ses projets semblent parfois complètement fous, mais ils sont tellement invitants. Cet esprit complexe aime à la fois la nature et la ville. Il se sent à l'aise partout mais a des humeurs changeantes selon ses fréquentations.

Vincent

Lorsqu'il se manifeste, c'est pour gagner! Il est un leader silencieux qui n'a pas à crier sa puissance pour qu'on le respecte. Il sait s'imposer doucement, sans heurts et sans grincements de dents. Bourré de talent, il déteste qu'on doute de lui ou qu'on remette ses idées en question, ce qui arrive inévitablement un jour…

William

Cette version anglaise du prénom Guillaume possède une grande charge culturelle. William a soif de justice et de paix dans le monde.

Comme il ne peut tout faire seul, il fait appel à ses proches. Comme c'est un leader, il montre le chemin à suivre.

Xavier
Il a un esprit pratique qui n'est pas dépourvu d'originalité. Il est un travailleur très efficace qui déteste l'incompétence. Autoritaire, il n'en est pas moins serviable. Toujours prêt à aider un collègue ou un ami, Xavier inspire le respect. Il est aussi très méthodique et patient, mais il accepte mal qu'on lui pousse dans le dos.

Yves
Solide comme l'arbre de la forêt, il est le centre de la famille, celui sur qui on peut compter. Il s'informe à propos de tout et de rien de façon à ne jamais être pris au dépourvu dans une discussion. Cette tendance est encore plus marquée dans la forme Yvon, tandis que la forme Yvan dénote un plus grande vivacité d'esprit.

Zacharie
Il a la mémoire de l'éléphant, mais il doit apprendre à s'en servir autrement que pour ressasser des remords. Populaire, Zacharie (Zac pour les intimes) a besoin de se retrouver à l'occasion. Le rythme effréné de la vie l'épuise parfois.

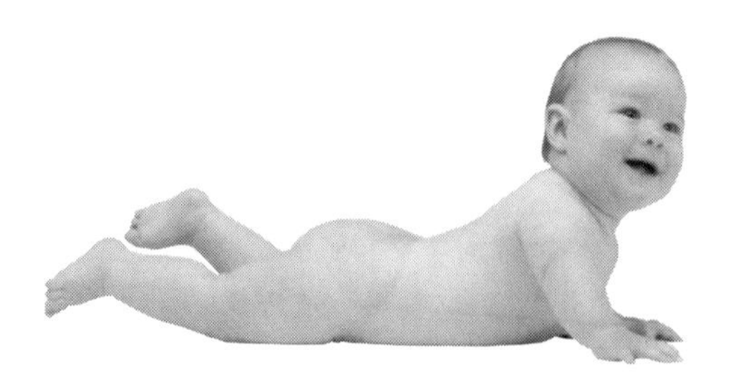

PRÉNOMS FÉMININS

Abeille

Elle butine de fleur en fleur à la recherche de la vie et de ses influences diverses. Abeille est ouverte d'esprit et a besoin de se nourrir de toutes sortes de connaissances. Les épreuves l'attendent dans le détour, mais elle sait vivre avec les aléas de la liberté de parole et de mouvement.

Adèle

Elle est la noblesse incarnée, celle que l'on aime seulement en regardant en sa direction. Adèle chante littéralement la vie. Elle respire le grand air à pleins poumons et se montre très généreuse de sa personne. Les arts lui sont tout à fait accessibles.

Adeline

Petite Adèle, elle possède un grand sens de l'émerveillement qui se traduit parfois par une touchante naïveté, parfois par un besoin pressant de grandir! Même si elle se laisse aborder facilement, elle n'ouvre pas facilement les portes de son cœur.

Agathe

Elle possède une grande force intérieure. Elle sait faire preuve de discernement, ce qui n'est certes pas chose commune de nos jours. En tout cas, on ne lui ment pas! Elle ne se satisfait que rarement d'un petit bonheur, car elle aime aller toujours plus loin.

Aglaé

Elle illumine littéralement ses proches. D'une rare simplicité, Aglaé aime discuter, obtenir des confidences et... jouer avec le feu! Elle sait tant de choses! L'enfant turbulent et aventureux qu'elle est devient une femme pleine d'entrain.

Agnès

Pure et sans malice, elle est l'ange vagabond qui apporte la lumière sur les pas de quiconque la croise sur sa route. Son cœur se nourrit de sa propre générosité tant elle aime les gens. Elle est d'ailleurs capable de prendre beaucoup sur ses épaules.

Aimée

La patience est le mot d'ordre chez elle. Aimée sait prendre son temps, évaluer ses chances et viser des objectifs précis. Elle atteint ses buts, car elle est dotée d'une logique infaillible. Gare aux personnes qui voudraient abuser d'elle.

Alexandra
On dirait d'elle qu'elle a un cœur de pierre et, pourtant, il n'en est rien. Les tricheurs se casseront les dents à essayer de la tromper! On ne perce pas facilement sa carapace, mais ses proches connaissent l'importance du trésor qu'elle recèle. On connaît aussi le prénom Alexia, autrement plus moqueuse!

Alice
La réalité se mêle au rêve dans l'univers d'Alice. Elle est une petite fille de bien qui accepte mal l'injustice et qui grandit à la dure, c'est-à-dire qu'elle apprend malgré elle les luttes de pouvoir et les tractations stratégiques. Elle ouvre grand son cœur aux gens qu'elle aime.

Aline
Elle est la reine du logis. Elle aime recevoir de l'attention, mais elle sait aussi donner en retour. Du moins, elle l'apprend vite! Ses rêves prennent parfois le pas sur la réalité, mais elle sait aussi retomber sur ses pattes. Elle aime les surprises de la vie.

Amélie
Douce comme la soie, elle se heurte malheureusement aux aléas de la vie avec douleur. Aucune

âme charitable ne la laisserait seule toutefois. Vive d'esprit, elle sait s'entourer de gens qui combleront ses lacunes. Elle est tellement aimable qu'on lui donnerait le bon Dieu sans confession.

Anaïs
Elle a des objectifs bien précis à atteindre, et son fort caractère lui permet d'y croire. Elle n'aime pas les gens qui se plaignent pour des riens. Elle, elle passe à l'action. C'est une main de fer dans un gant de velours qui aime se retirer dans son fort afin de se ressourcer.

Andréa
Son moment présent se conjugue souvent au passé, comme si elle croyait que l'instant d'avant ne reviendrait plus jamais. Pourtant, elle gagne à aller de l'avant. Peu portée à se confesser, elle écoute plus qu'elle parle. Elle finit par savoir beaucoup de choses de ses proches…

Andrée
À l'aise en public, elle préfère tout de même les endroits plus calmes. Sérieuse et autoritaire, elle possède un sens de la réalité qui la garde des extravagances. La justice est une valeur importante pour elle, tout comme l'amitié et la paix.

Anne
Ce prénom signifie «grâce». Anne semble bénie des dieux! Tout ce qu'elle touche a tendance à

se transformer en or. Aussi voit-on en elle des talents de gestionnaire et un leadership certain. Ses enfants seront pour elle le symbole du bonheur continu. Les autres formes de ce prénom présentent des caractères plus expressifs mais sensiblement identiques (Annick, Annie, Anouk...).

Antoinette

Elle agit en véritable souveraine, c'est-à-dire qu'elle dirige d'une façon ferme et sans équivoque son milieu immédiat. Antoinette décide elle-même lorsqu'il est temps de s'amuser ou de travailler. Elle n'aime pas se faire dicter d'ordres. Il faut beaucoup de doigté pour lui faire changer d'idée.

Ariane

Elle a besoin de se sentir aimée, tant et si bien qu'elle en oublie parfois les autres. Ce n'est cependant pas par malice. Pleine de vie, elle a les sentiments à fleur de peau et se réfugie dans les larmes lorsqu'on la blesse. Elle doit faire attention aux excès.

Aude

Il est fort difficile de l'arrêter lorsqu'elle a une idée en tête. Simple et attentionnée, elle défend ses proches, en qui elle a une confiance indéfectible. Elle leur demande certes beaucoup, mais elle sait leur rendre la pareille.

Audrey
La douceur mêlée de timidité qu'elle dégage la rende tellement sympathique. On ne la croirait pas capable de faire de mal à une mouche! Pourtant, elle possède beaucoup de volonté et elle peut faire montre d'un sale caractère si on la contrarie un peu trop. Il y a des limites à ce qu'elle peut accepter.

Aurélie
C'est toujours elle qui décide et qui a le dernier mot. Il faut en prendre son parti, ou alors... Elle s'adoucie avec les années, mais elle demeure profondément elle-même. Elle sait où elle s'en va, et qui l'aime la suive! Attention aux épuisements.

Aurore
Le doux soupire du jour qui se lève... Aurore est une beauté matinale. Elle observe timidement ce qui l'entoure, étudie les gens, lance un regard du côté des choses étranges... Brebis entourée de loups, elle doit apprendre à user de ses griffes.

Axelle
Elle brille de tous ses feux au milieu de la foule. Elle est un phare, une bouée de sauvetage pour ses proches, victimes de déprime passagère. Avec elle, on ne s'ennuie jamais, ou alors on s'épuise à vouloir la suivre! La solitude? Connaît pas!

Barbara

Son fort caractère en éloigne plus d'un, c'est le moins qu'on puisse dire. Personnalité tout de même très attachante, elle veut atteindre le haut du pavé rapidement. Elle écorche plusieurs personnes au passage toutefois. Elle gagne à nuancer ses propos.

Béatrice

À chercher le bonheur, on vit parfois un peu trop dans le malheur. Le moment présent est aussi rempli de belles surprises, et elle doit s'en rendre compte. Pour Béatrice, la vie sans arts n'est tout simplement pas la vie. La beauté l'émeut, de même que le chant des oiseaux.

Bénédicte

La solidité faite femme! Bénédicte n'a pas froid aux yeux, et sa vivacité d'esprit la sort souvent d'un mauvais pas. La passion l'étouffe parfois, qu'il s'agisse d'un intérêt particulier pour une chose, un emploi ou une personne. Elle est entière.

Bernadette

Véritable charmeuse, elle se contente trop souvent d'user de ce seul talent. On découvre donc facilement son jeu. Mais sa ruse et ses astuces n'ont pas dit leur dernier mot... Elle organise sa vie en même temps qu'elle coordonne celle des autres. On a entendu «leader» quelque part...

Berthe

Elle a bon cœur, et son jugement infaillible l'aide à éviter les blessures. Généreuse, elle fait attention aux gens qu'elle aime. Pour eux, elle acceptera beaucoup, mais pour les autres... Veut-elle des enfants? Ceux-ci veulent d'elle en tout cas!

Bibiane

Elle a un grand cœur et adore rendre service à ses proches. Sa vie est une suite de douces folies. Elle s'amuse et amuse les gens qu'elle côtoie. Au travail, elle préfère habituellement que ses tâches soient bien définies. Elle est capable de prendre beaucoup de responsabilités, mais se contente de peu. Elle préfère ses loisirs!

Brigitte

Les réponses aux questions existentielles ont leurs limites, mais pas pour Brigitte. Elle aimera comprendre des choses qui échappent au reste de l'univers. Mais quel trésor d'affection et de délicatesse. Il faut être patient avant de la découvrir pleinement.

Camille

Prudente mais volontaire, elle réfléchit toujours à ses actes. Son éthique ne peut donc laisser à désirer! Du moins, c'est ce qu'elle croit, car elle réussit à trouver des «excuses» à certaines de ses décisions douteuses... Son sourire contagieux lui évite bien des discussions inutiles.

Carmen
Elle chante et danse au gré du vent. Mais ses idées sont bien arrêtées! Aussi faut-il s'y prendre longtemps d'avance pour lui faire changer d'avis. Elle veut aller au fond des choses, et ses questions ont parfois un effet répulsif étonnant. Ses proches savent qu'elle pousse les gens à devenir meilleurs.

Carole
Elle a un penchant pour ce qui ne s'explique pas. Elle se fie d'ailleurs trop souvent aux apparences… Mais avec elle, c'est la simplicité qui compte. La beauté pure et la gentillesse prennent toute la place. Gare aux méchants loups, car elle ne se remet pas facilement des blessures.

Cassandre
Elle a la tête dans les nuages et se nourrit de rêves et d'espérances. Elle aime apporter son aide à ses proches. Comme elle n'est pas très réaliste, elle aide les gens à voir un peu plus loin que le bout de leur nez. Créative, elle a besoin qu'on la rappelle à l'ordre de temps à autre. Cassandra lui ressemble beaucoup, en tous points.

Catherine
Elle a le vent dans les voiles, mais elle souhaite aussi que ce vent ne se transforme pas en

tempête! Ambivalente sur plusieurs points, elle se cherche un objectif honorable et réalisable. Elle n'est pas toujours consciente de ses grandes capacités. Un coup de pouce au bon moment est le bienvenu. Le diminutif Cathy (ou Kathy) comporte davantage de volontarisme mais aussi plus d'irritabilité.

Cathya

Comme Catherine, elle a du mal à se fixer des objectifs accessibles. Elle aimerait réaliser un coup d'éclat, mais ne croit pas posséder assez de talent ou d'énergie pour y arriver. Grossière erreur! Elle est capable de tout. Son côté bon enfant fait tomber les barrières chez les gens qu'elle rencontre.

Cécile

Elle est la droiture même. Cécile doute de tout, elle prend donc le temps de comprendre et de connaître avant d'accorder sa confiance. Il faut être très patient avec elle, car elle ne se dévoile pas aisément. Elle est généreuse de cœur et ne peut supporter l'injustice.

Céline

Peu de prénoms font référence à l'instinct maternel de façon aussi prononcée que chez Céline. La vie grandit en elle, pétille tout autour et déborde sur son environnement. Son bonheur a un petit côté mystique. Gare aux curieux!

Chanel

Froide et distante au premier abord, elle préfère rester dans l'ombre plutôt que d'avoir à affronter une lumière aveuglante. Elle prend donc tout son temps avant d'accorder sa confiance à qui que ce soit. Même ses proches aimeraient la connaître un peu mieux. Pour quelques privilégiés, elle découvre un réel trésor.

Chantal

Elle prend beaucoup de place, car elle veut qu'on sache qu'elle existe. Elle est un véritable coup de tonnerre dans le silence ambiant. Elle dérange, mais on l'apprécie justement en raison de son fort caractère. Elle est pourtant réservée dans le calme de sa demeure.

Charlotte

Ses sens sont très éveillés. Elle respire la vie, goûte son bonheur, caresse le jour, entend la nuit et voit les âmes! Charlotte reste mystérieuse pour plusieurs et, pourtant, la simplicité l'habite. Et quel charme! D'autres prénoms de cette famille sont marqués du sceau de l'authenticité. C'est le cas notamment de Charlène et de Charline.

Chloé

Elle vit d'espoir, du souhait que tout devienne beau, que chacun acquiert la gentillesse. Elle s'inquiète donc de tout et de rien dans le moment présent. Pour les gens qu'elle aime, elle paraît «mère poule». Elle doit cependant trouver un moyen d'évacuer tout son stress.

Christelle
Elle a un sens de l'humour particulier, bien à elle. Quelque peu cynique, elle se cherche un coin pour se réfugier en paix. Ses goûts raffinés et son besoin de luxe en font une personne aux allures un peu hautaines, mais elle se plaît à effrayer ainsi certains gêneurs.

Christiane
Éprise de justice, elle souhaite un monde meilleur et y travaille. La paix de son âme en dépend. Amusante et enjouée, elle fait passer bien des messages par son sens de l'humour. Elle ne doit cependant pas dépasser certaines limites...

Christine
Elle tient mordicus à son espace vital. Égoïste au premier abord, elle dévoile lentement mais sûrement son cœur d'or. Elle apprécie peu qu'on prenne des décisions à sa place. Responsable, elle est capable de mener sa vie comme elle l'entend. Et si elle a besoin d'un conseil, elle est assez sage pour le demander.

Claire
Contrairement à ce que son prénom indique, tout semble nébuleux dans la vie de Claire. À la

recherche d'un bonheur absolu, elle n'est jamais tout à fait satisfaite. C'est vrai qu'elle a des goûts très précis... En tout cas, elle sait où elle s'en va.

Claude

Claude a le sens des responsabilités. Elle paraît sérieuse et bien à son affaire. Elle est un pilier, quelqu'un sur qui on peut compter. Chez ses dérivés Claudine, Claudia et Claudie, quelques nuances s'installent, notamment un brin d'humour et de naïveté enfantine fort attachant.

Clémence

Elle accepte mal d'être reléguée au second plan, aussi fait-elle beaucoup de bruit autour d'elle. Par sa vivacité, elle attire beaucoup de gens autour d'elle. C'est une perfectionniste pour qui la fête est nécessaire après une journée de dur labeur.

Clothilde

Elle a des principes bien ancrés dans sa façon de vivre. On ne triche pas avec elle! La vie à

Mille roses ne sentiront jamais aussi bon que la peau de bébé.

Extrait du livre «Être maman, c'est si beau».
Voir page 269.

deux revêt une grande importance à ses yeux, et les enfants sont pour elle une grande source de joie. Elle s'habitue difficilement aux changements fréquents.

Colette
Très terre à terre, elle a le don de voir les problèmes dans leur ensemble. Ainsi, si on lui demande conseil, elle prend le temps de bien faire le tour de la question avant de donner un avis final et définitif, peu importe si la personne devant elle est d'accord ou non.

Corinne
Elle prend soin de son éternelle jeunesse. Les années ne semblent pas passer dans son cas. Elle aime s'amuser comme une enfant et passer du temps à l'extérieur. Enfermée dans une maison ou pire dans un bureau, elle suffoque. Elle a besoin d'un peu de fantaisie pour aimer la vie.

Cynthia
Belle et mystérieuse, elle le demeure même avec certains de ses proches. Adversaire coriace, elle prend tous les moyens pour conserver ses acquis et aller en chercher de nouveaux. Elle cherche constamment à se dépasser. C'est là la source de son bonheur.

Cyril
L'aristocratie l'attire, comme si elle se voyait déjà en faire partie. Elle a un orgueil mal placé parfois, mais elle sait se défendre. Jetée dans la cage aux lions, elle s'en tire avec les honneurs. Elle est intransigeante et s'assume ainsi. Elle n'insiste pas lorsqu'elle ne se sent pas la bienvenue.

Dana
Au défit, elle répond par la bouche de ses canons! On ne peut exiger d'elle ce qu'elle n'a pas envie de faire. Séductrice dans l'âme, elle se laisse désirer par les gens. Elle plaît, mais elle doit éviter de jouer avec ce genre de sentiment. L'égoïsme ne saurait être de bon conseil.

Danièle
Elle n'a certes pas froid aux yeux! Et plus elle se retrouve dans des situations périlleuses, plus elle semble à l'aise. Séductrice dans l'âme, elle a souvent des compagnons pas très loin pour lui venir en aide dans des cas extrêmes. Danièle aime s'amuser, et le travail n'est qu'un autre moyen de s'exprimer.

Daphné
La réalité de Daphné est très spéciale. Elle qui tient entre ses mains le pouvoir de changer les choses, mais se contente souvent de peu. Ses goûts de luxe et de confort la laissent dans une

cage dorée. Elle a besoin de défis pour grandir et atteindre des objectifs toujours plus élevés.

Delphine
C'est elle qui apprivoise les gens. Elle décide donc de l'identité de ceux et celles qui partageront son univers. Dans les soirées entre amis, elle est appréciée pour sa vitalité et son originalité. Dans la foule, elle se sent perdue et oubliée.

Denise
Réaliste et prévoyante, elle prend soin de s'assurer une subsistance en vue des temps difficiles… qui ne viendront peut-être jamais. Elle aime l'entourage de nombreux amis, qui l'éloignent d'une solitude qui l'effraie. Fidèle et authentique, elle ne revient jamais sur sa parole.

Diane
À l'écoute des autres, elle est une amie sur qui on peut compter. Elle a plus de compassion que de solutions cependant! Son sens de l'humour fait passer bien des petites peines, et sa générosité fait le reste. Elle croit en l'humanité, et ses petits ennuis financiers passagers ne l'inquiètent jamais ou si peu.

Dominique
Elle a un vif désir de réussir, aussi bien dans sa vie professionnelle que personnelle. Chaque

jour est un nouveau défi pour Dominique. Elle doit améliorer ses performances de la veille, éviter les chemins tortueux et acquérir toujours de nouvelles connaissances. Son bonheur réside dans l'apprentissage!

Doris

Brillante et épanouie, elle aimerait pouvoir faire en sorte que tout le monde profite de son savoir. Elle l'enseigne donc, mais se heurte souvent à des esprits mollassons. Elle n'a pas tellement d'affinités avec le compromis... Elle est la bonté même et recherche l'harmonie.

Dorothée

Sensible et intelligente, elle a aussi un grand cœur prêt à tout donner pour les gens qu'elle aime. Elle a besoin de grandes responsabilités pour garder sa concentration et son efficacité. L'aventure lui plaît bien, car elle doit alors vaincre ses propres peurs.

Édith

La beauté de son sourire ferait craquer le plus insensible des banquiers! Très active, elle a les sens aiguisés au maximum. Elle semble ne jamais s'arrêter. Pour les uns, elle est un ouragan épuisant et dérangeant mais combien vivant! Pour les autres, c'est la source même de la vie.

Éléonore

Que de petits caprices dans cette chère et tendre personne! Instable émotivement, Éléonore se montre tantôt grincheuse tantôt enjouée. C'est le moment présent qui dicte sa conduite. La logique n'est pas son fort, mais on apprécie chez elle cette douce folie au quotidien.

Élisabeth

Elle est la femme des grandes occasions. Majestueuse et raffinée, elle aime diriger et enseigner. Parfois trop sérieuse, elle doit faire face à des sarcasmes qu'elle n'apprécie guère... Sous la forme Élisa, ce prénom s'adoucit et prend de belles nuances enfantines, tandis qu'Éliane est plus timide.

Élise

Expressive et enjouée, Élise est un rayon de soleil perçant un épais tapis nuageux. Elle a cependant besoin de prendre congé de la foule et de se ressourcer chez elle, ou alors à la campagne, loin des feux de la rampe. Son équilibre n'en est que plus fort.

Élodie

L'émotion à fleur de peau, Élodie grandit avec le goût d'apprendre, de comprendre la vie dans ses moindres détails. Son cheminement n'est pas le plus facile, mais elle devient plus forte de jour en jour. Elle est un véritable trésor d'humanité.

Émilie
«Que mon rêve rejoigne la réalité», semble-t-elle se dire! C'est tellement plus beau dans son imaginaire... Émilie n'a pas froid aux yeux. Elle sait où elle s'en va ou, du moins, elle le laisse croire. On ne la piège pas facilement. Difficile à tenir en place, elle bouge constamment.

Emmanuelle
Protégée par un ange-gardien ou quelque chose du genre, elle est une source d'inspiration pour plusieurs. Elle fonce dans la vie avec beaucoup d'entrain. Chaque seconde est un nouveau moment d'émerveillement. Les blessures ne tardent pas à ce cicatriser chez elle.

Estelle
La vie est parfois trop cruelle, aussi a-t-elle tendance à en occulter une partie. Mais ce dont elle se prive existe encore... Estelle doit voir la vie telle qu'elle est et apprendre à la transformer de ses mains. Elle en est capable; il ne lui manque qu'un peu de volonté.

Esther
À ses côtés, on ne voit pas la vie du même œil. Curieuse, attentive et souriante, elle accepte les gens tels qu'ils sont. Elle apprend en même temps à faire preuve de tolérance. Bien souvent, les conflits éclatent par manque d'écoute. Esther ne sera certes pas à l'origine de telles disputes.

Eugénie
Craintive, elle hésite à mettre le nez dehors. Elle se sent à l'aise chez elle, au sein de l'autorité familiale. Elle a d'ailleurs besoin d'être bien guidée afin de s'épanouir pleinement. En confiance, elle développe ses goûts et aptitudes avec un désir d'apprendre palpable.

Éva
Artiste dans l'âme, Éva n'hésite pas à aller de l'avant. Elle innove, ose et crée des choses qui respectent son désir d'absolu. Elle tremble à l'idée qu'on puisse «copier»! Ses œuvres sont bien à elle. On ne perce pas facilement son univers, car elle trie sur le volet les gens avec qui elle veut bien être amie.

Ève
Elle est une source de vie. D'elle s'écoule un fleuve grouillant d'amis et de connaissances. Pourtant, Ève n'est pas la plus sociable des personnes. Timide et modeste, elle se contente de peu. C'est probablement en vertu de son charme et de sa simplicité qu'on l'apprécie à ce point.

Fabienne
Timide, elle garde ses opinions pour elle-même, à moins qu'on lui demande de se prononcer. Mise en confiance, elle se montre telle qu'elle est, c'est-à-dire intelligente, astucieuse et parfois

même géniale! Le malheur des uns devient aisément le sien.

Florence
Cette petite fleur a besoin de beaucoup de soleil pour s'épanouir. Gentille et douce, Florence est fragile mais déterminée. Elle veut qu'on la prenne au sérieux et déploie ses énergies de façon à gagner ses batailles personnelles. Elle a confiance en elle.

France
Elle possède un goût très développé pour la liberté. Les règlements la contraignent dans un espace trop étroit pour elle. Intelligente, elle s'informe à propos de tant de choses qu'il est difficile de toujours la suivre dans des discussions. Elle veut être excellente, rien de moins. Chez Francine par contre, ce besoin de l'absolu est moins présent.

Françoise
Pour elle, la vie conserve ses couleurs, peu importe la saison. Françoise a tant à faire qu'elle n'a pas le temps de se morfondre Comme elle est prévoyante, elle met ses énergies à prévoir les coups. On apprécie son dynamisme et ses capacités à réagir promptement aux difficultés.

Frédérique
Elle doit aller toujours un peu plus loin, un peu plus vite. Elle n'aime certes pas se perdre dans les détails et les insignifiances. Son sens pratique prend toute la place, sauf dans les questions de cœur... Directe, elle a pourtant du mal à accepter la critique.

Gabrielle
Elle n'est pas à prendre avec des pincettes. Chez Gabrielle, on retrouve une fermeté rare et un tempérament colérique difficile à supporter. Ses proches apprennent à la connaître, mais elle en rebute plus d'un. Elle sait se défendre. Et pour ceux et celles qui ont la patience de la comprendre, elle est tout à fait charmante.

Gaëlle
Elle aime le travail bien fait et a tendance à prendre beaucoup de responsabilités sur elle. Elle a besoin de l'approbation de ses proches. Laissée à elle-même, elle perd de l'intérêt à ce qu'elle fait. Il y a beaucoup d'obstacles à sa recherche du bonheur, mais elle n'abandonne pas.

Geneviève
De tempérament anxieux et nerveux, elle s'en fait beaucoup pour les gens qu'elle aime. Elle demande du temps de la part de ses proches, mais elle le leur rend bien. Sa générosité n'a

d'égal que son besoin d'attention. Sociable, elle a des amis partout.

Géraldine

Audacieuse comme pas une, elle se moque des conventions et vit sa vie à sa manière. Elle adore apprendre, et de multiples curiosités l'attirent. Autour d'elle se tisse une toile sociale impressionnante. Mais Géraldine reste secrète, car elle a peu de temps à consacrer à dévoiler son cœur.

Hélène

L'art lui donne le goût de vivre et de briller de tous ses feux. Elle s'émeut devant la beauté, elle vibre pour la nouveauté. Sa stabilité est fragile, de même que ses relations. Elle s'ennuie dans une routine et a besoin de défis constants pour garder son intérêt pour un travail.

Inès

Son charme lui ouvre les portes du monde! Et elle se montre très persuasive. Quand elle parle, les gens écoutent. Mais elle n'use pas inutilement sa salive. Grande stratège, elle sait «jouer ses cartes» de façon à gagner la partie, peu importe si elle doit d'abord perdre une bataille.

Irène

Responsable, elle possède une belle franchise jumelée de tact, ce qui l'aide grandement à se sortir d'embarras. Elle aime beaucoup la reconnaissance, la popularité. Attirée par le luxe, elle sait toutefois se contrôler, car elle fait montre d'une réelle bonté d'âme.

Isabelle

Elle aime avoir le contrôle. Sa marque de commerce est l'excellence: si elle ne se sent pas capable de tel ou tel accomplissement, autant tout laisser tomber. Elle a tendance à disparaître si on ne lui accorde pas suffisamment d'attention, mais elle sait être reconnaissante envers ses vrais amis.

Jacinthe

C'est une fleur ambitieuse et exigeante qui a besoin d'être étonnée, surprise. Elle sait qu'il faut donner un peu pour espérer recevoir beaucoup... Son équilibre émotif est précaire, car elle déteste se faire dire non. Elle sait prendre la place qui lui revient.

Jade

Elle se forge très tôt une carapace, car elle n'aime pas affronter les moqueries ou les méchancetés des gens, qu'elles soient dirigées contre elle ou contre ses proches. Il est difficile de percer son secret, qu'elle réserve à quelques intimes seulement. Plutôt solitaire, elle demeure à l'aise en public.

Jasmine
Ce qu'elle a des idées dans la tête! Jamais à court de projets, elle manque cependant de temps pour les réaliser. Aussi paraît-elle un peu brouillon. Plutôt égocentrique, elle est un courant d'énergie pour ses proches, qui voient en elle un modèle de vitalité. Sa stabilité émotive tient à peu de choses cependant.

Jeanne
Elle est capable de grandes réalisations, mais l'effort ne lui vient pas naturellement. Elle préférerait ne pas avoir à demander, mais puisqu'il le faut… Efficace au travail, elle l'est tout autant dans ses relations amicales et amoureuses: pas question de perdre son temps pour des riens. Jeanne entraîne un grand nombre de formes dérivées qui lui ressemble à divers niveaux (Jeannie, Janette, Janice, Janine, etc.)

Jocelyne
Elle est à toutes fins utiles inépuisable et pleine de ressources. Communicative, elle sait parler aux gens et leur faire comprendre le bon sens, du moins le sien! La subtilité n'est pas son fort, et elle passe ses messages de façon directe et sans détour. Les sentiments, elle les garde pour quelques privilégiés.

Joëlle

Elle est faite d'un brin de folie et d'une dose d'humanisme. C'est pour elle un équilibre certain et tenace. Joëlle a des ambitions, mais il n'est pas question pour elle d'écraser un adversaire. Ses qualités lui valent amplement de reconnaissance. Avec ses proches, elle est fidèle et directe.

Johanne

On dirait d'elle qu'elle parle sans écouter, ce qui est plus ou moins exact. En fait, elle est sensible aux signaux, si subtils soient-ils. Généreuse de cœur et d'esprit, elle est une amie du monde en général, car on ne peut lui résister. Comme elle rencontre beaucoup de gens, elle doit aiguiser son jugement…

Jolène

Pleine de vie, elle a besoin d'être bien dirigée, de façon à mieux doser ses énergies. Elle a aussi tendance à s'émerveiller, à vivre dans son imaginaire. Elle a un caractère assez difficile, surtout lorsqu'elle résiste à l'autorité. On l'aime pour ce petit côté teigneux mêlé de timidité.

Josée

Elle a les idées claires et sait où elle s'en va. Son imagination fertile lui permet de surprendre les gens et d'innover. Habile socialement, elle aime néanmoins prendre quelques instants seule. En effet, toujours prise entre deux feux, elle a besoin de refaire le plein afin d'affronter une vie en mouvement constant.

Josiane
Elle trouve que tout est trop compliqué. Elle simplifie sa vie au maximum afin de pouvoir se concentrer sur ce qui lui plaît vraiment. Elle apprécie la nouveauté, l'innovation, mais son confort ne doit pas en souffrir. Son diminutif, Josie, est plus déterminée encore.

Judith
Il n'est pas facile de percer ses secrets ou même d'entrer dans sa vie. Elle aime se laisser séduire… Elle a le goût de réaliser de grandes choses pour elle mais aussi pour ses proches. Patiente, elle étudie tous les volets d'un projet avant de s'y aventurer.

Julie
Elle possède un esprit vif et éclairé qui lui permet de découvrir toutes sortes de moyens pour améliorer sa vie et celle de ses proches. Ses méthodes sont nouvelles aux yeux de plusieurs, ce qui fait qu'elle déstabilise parfois. Elle n'aime pas tellement avoir à se justifier et a besoin de se sentir en sécurité. Juliette est plus discrète mais pas moins déterminée et fière.

Justine

Partagée entre le rêve et la réalité, Justine est de celle qu'on gagne à connaître. Sous des dehors frivoles, elle cache une gaieté et une bonté contagieuses. La famille, surtout les enfants, l'émerveille. Elle a grand besoin de se sentir près des gens.

Karine

Chère ange, qui pourrait te résister? Karine aime la vie, et celle-ci le lui rend bien. Elle est d'un grand secours pour ses proches, mais elle doit aussi avoir quelque chose en retour. Générosité bien ordonnée commence par soi-même, selon un dicton populaire...

Kathleen

Elle n'a jamais de temps à perdre. Directe, elle ne se perd jamais en conjectures! Réaliste, elle aime le travail bien fait, dans les temps. Sa vie personnelle la comble bien davantage. C'est là qu'elle s'épanouie, où elle prend les décisions qui s'imposent pour que ça bouge.

Kellie

Elle aime le contact avec les gens et se sent à l'aise dans les endroits mouvementés. Elle est toujours de la partie lorsqu'il est question de passer un bon moment entre amis. La vie est trop courte pour laisser passer une occasion de s'amuser!

Kim
Il est difficile de savoir exactement ce qu'elle désire, ce qu'elle pense. Discrète sur sa personne, elle n'en a pas moins une grande vigueur. Elle garde souvent ses sentiments pour elle-même et ne se confiera qu'à quelqu'un en qui elle a absolument confiance.

Lana
Elle est très à l'aise dans le rythme du monde moderne. L'innovation et la nouveauté ne lui donnent certes pas des ulcères! Elle est curieuse et se penche souvent sur des questions qui semblent sans réponse. Elle a l'esprit vif et sait demander de l'aide lorsqu'elle en a besoin.

Laura
Elle est originale et inventive mais secrète. Elle aime connaître les gens sans avoir à se dévoiler elle-même. Elle a un sens développé pour la justice sociale, et elle se donne souvent des missions périlleuses à remplir. Elle en est capable,

mais elle peut demander beaucoup de ses proches pour y arriver.

Laure
Elle s'en fait beaucoup pour les autres, à tel point qu'elle en oublie ses propres besoins. Généreuse de cœur, elle se blesse au contact de gens mal intentionnés. Elle doit raffermir ses défenses! Elle est fidèle et tendre auprès des gens qu'elle aime.

Laurence
Elle est d'une patience extrême. Très exigeante toutefois envers elle-même, elle se met beaucoup de pression sur les épaules. Fière, elle est aussi décidée et entrepreneuse. Elle ne met pas de gants blancs pour s'affirmer professionnellement. Avec la forme Laurie, on retrouve un caractère plus nuancé.

Léa
Elle aime faire plaisir et rendre service. C'est son petit côté porte-bonheur. Elle gagne à être connue et reconnue. Elle sait vivre en paix avec elle-même, et ses enseignements profitent à plusieurs. Elle s'émeut devant la misère humaine et participe souvent à des causes humanitaires.

Léonie
Orgueilleuse, elle ne laisse que très rarement voir ses sentiments. Son cœur fragile cherche

pourtant à s'exprimer librement. Tiraillée entre son désir de parler et son besoin de projeter une belle image, elle est souvent aux prises avec de grands questionnements. Lorsqu'elle s'ouvre, on se rend compte de la grandeur de son cœur.

Liliane

Liliane est sérieuse et appliquée à la tâche. Elle sait lorsqu'il y a un temps pour le plaisir et un temps pour le travail. Équilibrée, elle aime se détendre lorsqu'elle le peut, du moins selon ses critères. Le diminutif Lili présente une version beaucoup plus frivole et enflammée.

Line

Secrète et discrète, elle a tendance à voir trop loin. Le moment présent a pourtant beaucoup à lui offrir. Elle possède une imagination fertile qui l'emmène aux quatre coins du monde. Son cœur a d'immenses besoins, difficiles à combler. Elle aimerait tant que tout soit plus simple. Les dérivés Lina (confiante) et Lyne (rebelle) possèdent chacun leurs nuances.

Lise

Elle est une médiatrice dans l'âme, toujours prête à se placer entre deux belligérants afin de leur faire retrouver une amitié perdue. Calme et sereine, elle s'efface pour laisser la vedette à d'autres. La forme Lisa y ressemble beaucoup, tout comme Lison, tandis que Lisette est plus démonstrative.

Loraine

Douce et timide, elle n'en est pas moins déterminée à réussir sa vie. Elle prend les moyens d'ailleurs en s'inscrivant à des cours, en suivant des formations spéciales, en rencontrant des gens. Elle ne dévoile ses plans qu'à quelques privilégiés. Autrement, elle se mettrait un peu trop de pression sur les épaules.

Louise

Elle aime ou non, mais elle est rarement entre les deux. Cette trace d'intransigeance lui permet cependant d'éviter bien des déceptions, car elle est très attachante. Elle rayonne de vie tel un soleil en pleine canicule! L'amitié la rend forte, la trahison la fait sombrer.

Luce

Elle est une sorte de leader tranquille, qui sait comment montrer le droit chemin sans donner d'ordres. Elle a une grande capacité d'écoute et elle tente toujours de comprendre le problème de tous les côtés avant de prendre position. Elle est plus émotive qu'elle ne le laisse voir. Plusieurs autres prénoms se greffent à ces caractéristiques: Lucette, Lucie, Lucienne, Lucille, etc.

Madeleine
Elle partage sa vie avec l'univers tant elle est chaleureuse et généreuse. Très sensible, elle capte les signaux de détresse et les appels à l'aide. Elle doit prendre garde aux profiteurs, à l'affût des proies faciles. Il y a un brin de malice de plus chez Mado!

Madeline
Elle a le goût de courir des risques, de vivre pleinement. Elle a bien du mal à tenir en place, et les autorités n'ont que peu d'influence sur elle. Elle est unique et n'a pas le goût de suivre le courant. Avec elle, tout le monde part à l'aventure et à la découverte.

Manon
L'amour revêt une importance toute particulière pour elle. Elle a besoin d'un protecteur, de quelqu'un en qui elle aura confiance. Orgueilleuse, elle se rend bien compte toutefois des limites de ce trait de caractère. Elle sait qu'elle ne peut tout avoir! Elle rend au centuple ce qu'elle reçoit.

Mara
Elle est très méthodique, ce qui ne signifie pas qu'elle se contente de ce qui existe. Elle a besoin de créer, de relever des défis qu'elle s'impose elle-même. Elle parle sans détour, se montre impulsive et téméraire et réussit dans

tout cela à demeurer en possession de ses moyens. Chapeau!

Marcelle
Elle a le goût de bouger, de s'exprimer. Véritable coup de vent, elle va et vient selon son gré. Elle aime le contact avec les gens. Vivre en groupe est un mode de vie tout à fait normal pour elle. Pour plus de douceur, on peut choisir le prénom Marcelline.

Marguerite
Elle hésite, pèse le pour et le contre, évalue ses chances de réussite… Bref, elle prend beaucoup de temps avant de se décider. Elle est une amie patiente et rassurante pour qui l'objectif de vie ne consiste qu'à devenir une meilleure personne. Il y a un brin de malice supplémentaire chez Margot.

Marie
Marie incarne la tendresse au cœur du rebelle! Elle est l'incarnation même de la dualité: heureuse mais insatisfaite, contemplative et directive… Elle est constamment tiraillée de part et d'autre. Elle voudrait tout savoir et tout comprendre et, en même temps, elle a besoin qu'on la réconforte. Tous les prénoms féminins semblent avoir Marie comme source. Certains en sont directement dérivés, comme Macha, Marion, Magali, Marielle, Mariette et Maryse, pour ne nommer que ceux-là.

Marlène
Elle n'aime pas se fier à l'opinion du grand public. Plutôt éclectique, elle préfère son milieu, son originalité et ses idées à ceux de la masse. Elle a du mal à respecter des lois et des règlements. Mais elle accepte tout de même ses devoirs de citoyenne. Aussi affectueuse soit-elle, elle refuse qu'on lui dicte quoi faire.

Martine
L'humilité fait partie intégrante de son existence. Elle sait reconnaître ses torts, mais hésite à demander de l'aide. C'est qu'elle est orgueilleuse aussi! Elle prend les devants, camoufle sa timidité sous une témérité parfois excessive et se dévoue entièrement pour ses amis les plus chers.

Mathilde
On ne peut rester indifférent au regard de Mathilde. Elle charme et déroute les plus rébarbatifs! Elle sait obtenir ce qu'elle désire sans toutefois devoir user d'une autorité particulière. Elle est reconnaissante envers les gens qui lui rendent service et leur reste fidèle.

Maude
Ce prénom désigne la puissance et le désir de vaincre. Maude a en effet de l'énergie à revendre. Elle semble toujours au sommet de sa forme. Prise dans mille et une activités, elle est

un peu déroutée par le mouvement qu'elle engendre autour d'elle. Ses amis l'appuient dans ses entreprises.

Mélanie

Elle s'exprime librement et avec verve et elle adore avoir un public. Elle connaît bien ses priorités, car elle sait se fixer des objectifs raisonnables et qui l'emmènent toujours plus loin. Elle est fière de ses résultats, avec raison!

Mélissa

Plutôt effacée en public, elle garde ses meilleurs moments pour les gens qu'elle aime. Sans qu'il n'y paraisse, elle déploie des efforts colossaux afin d'atteindre ses objectifs. Ce qu'elle a, elle ne l'a certes pas volé! C'est une amie fidèle et patiente.

Michaëlle

Elle possède un charme fou qui ferait fondre le plus glacial des comptables! Elle mord dans la vie à belles dents, mais elle doit faire attention de ne pas blesser trop de gens. Elle ne se rend pas toujours compte de la force de son caractère et des dégâts qu'elle cause autour d'elle.

Michèle

Intelligente et rationnelle, elle est d'humeur instable, et son caractère change parfois en un coup de vent. Elle voit les obstacles comme des monstres invincibles et, pourtant, peu de choses lui résistent. En confiance, elle a une volonté étonnante et des ressources presque inépuisables. Parmi les prénoms dérivés de Michèle, il faut compter Micheline et Michelle.

Mireille

Émue par les arts et la beauté, elle vit au rythme de sa propre poésie. Ses idéaux de paix et de bonheur semblent parfois hors d'atteinte, mais elle s'y accroche avec vigueur. Elle s'oublie pour ses proches, mais elle garde une certaine distance envers les gens qu'elle connaît peu ou pas afin d'éviter les blessures.

Muriel

Elle est fière de sa réussite personnelle, qu'elle ne doit à personne d'autre qu'à elle-même. À force d'être au-dessus de la mêlée par contre, elle s'éloigne de ses proches. Elle doit travailler fort pour gagner le cœur des gens puisqu'elle est très logique et raisonnée.

Myriam

Enthousiaste et forte de caractère, elle aime projeter une image sereine et avoir l'air à ses affaires. Elle ne l'est pas toujours cependant. Elle n'est jamais neutre. Elle ne peut pas aimer quelqu'un juste un peu! Dans ce tout ou rien, elle vit parfois des conflits importants. Elle doit apprendre à s'accepter et à accepter les autres.

Nadine
Le moins qu'on puisse dire, c'est qu'elle déplace de l'air. Fonceuse et volontaire, elle se lance dans toutes sortes d'aventures plus ou moins périlleuses simplement pour voir. Elle reste une éternelle enfant, avec les avantages et les inconvénients que cela comporte.

Nancy
Douce et attachante, elle a des humeurs stables et un sens bien développé pour entretenir ses relations amicales. Elle aime parler aux gens et s'identifie à ses «vedettes». Chez elle, elle dirige les opérations familiales avec fermeté et doigté, tandis qu'elle se laisse aller davantage à l'extérieur de son nid.

Nathalie
Elle a tendance à prendre facilement le mors aux dents. C'est qu'elle a horreur qu'on doute de sa bonne foi et de ses capacités. Elle déploie beaucoup d'énergie au travail et elle aime qu'on la complimente sur ses résultats. Quoi de plus normal quand on réussit aussi bien? Malgré tout, certains ont du mal à comprendre... Une douce coquetterie caractérise davantage le dérivé Natacha.

Noëlle
L'espoir transpire en elle. Tournée vers l'avenir, elle n'en oublie toutefois pas le présent et ses

responsabilités. Tranquille, elle reste bien présente d'esprit. Elle a un sens de l'observation aiguisé et remarque tous les détails qui l'entourent. Elle demeure réservée en public.

Noémie
Ce prénom signifie «belle», «agréable». Et pourtant, elle ne donne pas sa place dans une discussion ou une argumentation. Elle se bat ferme pour faire passer ses idées, et ses sautes d'humeur sont reconnues! Avec ses proches, lorsqu'elle se sent en confiance, elle sait se contenir et être agréable. Le prénom Naomie provient de la même souche et présente sensiblement les mêmes caractéristiques.

Odile
Très émotive, elle est de celles qui pleurent par réflexe, lorsqu'elles voient quelqu'un pleurer! Elle tente bien de contenir ses émotions, mais c'est plus fort qu'elle. Elle est très gentille en public et tendre avec ses proches. Soumise aux soubresauts de la vie, elle a souvent des hauts et des bas.

Ophélie
Elle aime donner un coup de main à qui en a besoin. Elle est généreuse et attentionnée, mais elle ne se dévoile pas facilement. Elle préfère que son intimité reste entre ses mains. Pour la personne qui percera son secret, elle sera longtemps attachée.

Pascale
Elle a des rêves d'absolu qu'elle aura du mal à accomplir, mais elle assume ses choix, qu'ils soient professionnels ou familiaux. Elle ne regarde pas en arrière, car elle croit en un avenir toujours meilleur. Son optimisme se reflète sur ses proches, et son bonheur s'attrape au vol!

Pauline
Elle possède beaucoup de charme, mais là n'est pas son principal atout. Pauline est une battante, une coureuse de fond qui sait mener ses missions à bien. Elle voit tout en grand, qu'il s'agisse de ses amours, de ses joies et même de ses peines. Son grand sens de l'humour lui permet d'affronter toutes sortes de situations. Ces mêmes caractéristiques se retrouvent également chez Paule et Paulette.

Pénélope
Fière et quelque peu orgueilleuse, elle n'a pas peur d'aller contre courant. Elle innove, parle sans entrave et se comporte selon ses propres principes d'équité et de liberté. Elle sait qu'elle ne peut tout faire et respecte le droit des autres, mais elle aime tout de même repousser les limites.

Rachel
Elle aime beaucoup le confort et la chaleur de son foyer, mais tant de choses l'appellent au

dehors. Rachel prend néanmoins le temps de choisir sa voie. Elle est une amie dont on se sépare très difficilement, et tant mieux! Quelque peu possessive par moment, elle tente de doser ses marques d'affection.

Raphaëlle
Instinctive et déterminée, elle n'est pas dirigée par le sens commun. Elle va où le vent la pousse et elle y trouve souvent de quoi nourrir son bonheur. Véritable porte bonheur pour ses proches, elle garde l'esprit ouvert. Avec elle, l'impossible n'existe pas.

Régine
Son sens de l'humour la propulse au centre de la foule, sous les regards ébahis des gens qui l'entourent. Et il y en a, des gens! Toujours sociable et épanouie, Régine aime par contre se réfugier dans son monde secret, là où les barrières s'éclatent et où il n'y a aucune frontière.

Reine
Elle possède un jardin secret qu'elle réserve vraiment à un très mince cercle d'initiés. Elle aime l'argent et le luxe, mais a du mal à se motiver pour le travail. À moins qu'elle ait l'emploi de ses rêves, elle reste insatisfaite et applaudit aux vacances!

Renée
Elle a une âme d'artiste. Chaque blessure est pour elle une occasion de renaître, avec toute la douleur que cela engendre. Renée est tantôt chaleureuse tantôt distante. Elle n'aime pas avoir à se confier, mais elle se trouve parfois obligée de le faire. Il faut bien faire tomber la pression.

Rita
Anxieuse, elle a tendance à se laisser tomber dans la mélancolie. Elle a besoin de mieux, mais elle ne sait pas où commencer pour trouver le bonheur. Sa quête la mène vers toutes sortes d'expériences. Elle s'en tire grâce à sa grande intelligence.

Rochelle
Elle a besoin de se sentir protégée, en sécurité. Elle garde d'ailleurs ses distances, de peur d'être blessée. Elle se montre pourtant si tendre et passionnée quand on la connaît mieux. Elle choisit elle-même son chemin de vie, que cela plaise ou non à ses proches.

Rose
Rose (et tous ses dérivés, à peu de choses près: Rosa, Rosalie, Rosie, etc.) démontre une volonté à toute épreuve. Elle vibre pour l'amour, pour une relation chaude et satisfaisante. Prudente, elle garde toujours l'œil

ouvert, que ce soit pour ses amis, ses enfants, ses parents…

Roxanne

Fraîche comme le lever du jour, comme le suggère l'origine de son prénom, elle grandit dans un monde qui lui plaît souvent assez peu. Trop de méchancetés l'entourent, et elle ne se sent pas bien dans un univers égoïste. Discrète, elle ne se confie qu'à des gens en qui elle a une confiance absolue.

Roxelle

Elle manque un peu de confiance en elle et a horreur de devoir s'imposer. Tout doit couler de source en ce qui la concerne, mais certaines personnes ne voient pas la vie comme elle. Elle vise parfois très haut et se décourage rapidement, mais elle ne renonce pas facilement à l'échec.

Sabine

Elle a beaucoup de charisme. Elle sourit à la vie à pleines dents et y met tout son cœur pour réussir ce qu'elle entreprend. Elle a de l'intuition à revendre, mais elle ne se fie pas qu'à cela dans la vie de tous les jours. Elle a besoin d'une bonne dose d'analyse pour résoudre les problèmes redevables à une personne de son rang. Une autre forme de ce prénom, Sabrina, évoque davantage de souplesse.

Sandra
Elle en prend beaucoup sur ses épaules. Elle est la gardienne de la vertu, la grande prêtresse de la justice humaine. Elle est très intelligente mais déteste qu'on la compare à d'autres, qu'on mesure son talent. Sandrine vient de la même source que Sandra et apporte une belle naïveté à la personne qui en hérite.

Sarah
Ce prénom signifie tout bonnement «princesse». Il ne faut pas y voir un lien direct entre la personne qui le possède et son caractère, car justement c'est très différent à ce niveau. Sarah aime les gens. Elle travaille dur pour atteindre ses objectifs et n'attend l'aide de personne.

Shelley
Sous des dehors assez candides se cache un monstre de tourments! Shelley s'en fait pour tout et rien. Elle a très grand cœur et donnerait tout ce qu'elle possède pour venir en aide autant à ses proches qu'à un parfait étranger. Le monde a quelque chose d'irréaliste pour elle. L'injuste la rend profondément triste.

Sonia
On ne bouscule pas son univers impunément. Sonia est très revendicatrice. Elle acquiert ses lettres de noblesses dans les causes sociales, où ses talents d'oratrice la place sous les projec-

teurs. À la maison, il n'y a pas de place pour les bouleversements, car elle a besoin de repos et de sérénité.

Sophie

Elle vise la sagesse, mais le chemin qui y mène est parsemé d'embûches... Elle veut réussir à tout prix, ce qui la rend nerveuse et craintive. Elle doit pourtant avoir confiance en elle pour relever ses défis, mais elle aurait avantage à viser moins haut ou à faire quelques étapes supplémentaires. D'autres prénoms de la même origine, dont les formes Sophia et Sofia, présentent une grande similitude de caractères.

Stéphanie

Elle garde ses secrets bien à l'abri des regards indiscrets. Elle se fait prier longtemps avant de céder quoi que ce soit. Ce n'est pas de l'égoïsme mais de la prudence. Sans malice, elle possède beaucoup de charme et reste très sereine malgré les hauts et les bas de la vie. Elle apprécie beaucoup la chaleur familiale.

Suzanne

Un brin de malice ne fait de mal à personne, ou alors si peu! Suzanne écorche au passage les gens qu'elle aime le plus. Et elle a la réplique facile! Alors qu'on la croit distante, elle montre un cœur grand comme le monde et un attachement solide à ses proches.

Sylvie
Elle possède un charme fou auquel plusieurs succombent. À l'aise en public, elle déborde d'énergie. Honnête et subtile, elle est capable de dire des vérités difficiles à entendre. Mais on lui pardonne beaucoup de choses. Les défis ne l'effraient pas le moins du monde.

Tina
On ne peut pas ne pas l'aimer! Elle est un véritable rayon de soleil, et sa chaleur redonne confiance. Tina a besoin de se réaliser, que ce soit par les activités physiques ou un travail intellectuel. Elle veut aller au bout d'elle-même. La famille possède toujours une grande valeur à ses yeux.

Valérie
Elle a tout pour elle, mais a tendance à se laisser aller dans un confort mêlé de prudence et de luxe. Les amis sont très importants pour elle, et elle est souvent déçue de se rendre compte qu'ils grandissent et se rangent... Elle a besoin d'un confident, d'une personne à qui raconter ses peines. Cet être sera un rare privilégié.

Vanessa
La douce légèreté de l'être... Vanessa ne se laisse pas saisir aisément. Elle vole d'un nuage à l'autre sans se soucier des tourbillons qu'elle produit autour d'elle. Elle n'aime pas avoir à

rendre des comptes, aussi préfère-t-elle s'éloigner quand elle sent la soupe chaude... Elle préfère de loin la liberté aux chaînes.

Véronique

Elle est vulnérable aux soubresauts du quotidien. Elle aime prévenir et savoir où elle s'en va. D'humeur agréable, elle ne confie ses problèmes qu'à un nombre restreint de privilégiés. Elle a une attirance particulière pour la psychologie et la para-psychologie.

Vicky

Il n'y a rien de bien compliqué avec elle. Elle aime la vie, et celle-ci le lui rend bien. Vicky accepte les occasions qui se présentent à elle. Elle a espoir en l'avenir et a confiance en ses moyens. Elle met parfois du temps à se fixer, car elle aime bien ses habitudes quelque peu bohémiennes.

Violaine

Il n'y a rien à faire si on n'est pas dans ses bonnes grâces. Violaine a des convictions et ne change pas facilement d'avis. Elle aime bien le luxe sans pour autant en abuser. Elle est aussi beaucoup plus accessible que sa carapace ne le laisse suggérer...

Virginie

Pure et chaste, symbole évangélique par excellence, Virginie incarne la blancheur, l'immaculé.

On lui donnerait le bon Dieu sans confession, mais elle sait se défendre! Elle aimerait tant que tous ses proches s'entendent à merveille. Elle a le dos large, mais le vase peut déborder parfois…

Viviane

Ce prénom signifie vivre, accepter la vie et ce qu'elle nous propose. Viviane n'est pas de celles qui se laissent abattre facilement. Toujours prête à rebondir, elle a une force de caractère qui la protège des chocs émotifs. Elle a aussi ses caprices et exige beaucoup de ses proches, chose normale quand on donne autant.

Yannique

Elle a parfois du mal à contrôler ses puissantes émotions. Elle sait apprendre de ses erreurs, et les échecs ne la déstabilisent qu'un temps. Elle a besoin de se sentir près des gens, de se sentir aimée et séduisante. Elle a un langage coloré et parle avec aisance, ce qui lui permet beaucoup de succès auprès des gens.

Zoé

Très créative, Zoé est émotivement instable et vulnérable. C'est qu'elle ressent plein de choses que d'autres ignorent. Elle est un paquet de vie, une symphonie à la gloire de l'humanité. Si seulement plus de gens pouvaient être comme elle…

Les prénoms composés

PRÉNOMS COMPOSÉS FÉMININS

Alexandra-Anne
Elle est la reine du logis. Elle étonne par son petit côté rebelle et par ses goûts très variés.

Alexandra-Claude
Elle aime la routine, qu'elle trouve sécurisante, mais elle a beaucoup de mal avec l'autorité. Son train-train quotidien n'est jamais ennuyeux.

Alice-Catherine
Si elle semble égoïste, c'est qu'elle n'a pas peur de clamer haut et fort ses opinions. Gare à ceux qui la contrarient!

Alice-Marie
Elle aime garder son entourage dans un état d'instabilité. Elle surprend, change souvent ses opinions et vit pleinement au gré des jours.

Alice-Renée
Elle possède une grande imagination, mais elle sent aussi le besoin de plaire, de faire accepter ses idées.

Andrée-Anne
Sérieuse et autoritaire, elle est aussi très terre-à-terre. La justice est pour elle une valeur qu'on ne peut piétiner.

Andrée-Joëlle
Directe comme pas une, elle possède néanmoins un sens inné de la diplomatie. Ses idées passent grâce à ses dons de communicatrice.

Andrée-Kim
Elle adore vivre en compagnie de ses amis les plus chers, qu'elle garde soigneusement près d'elle. C'est une fille de groupe.

Ange-Aimée
Elle est un ange cornu! Un tel nom peut paraître divin à l'écoute, mais il cache une rage de vivre féroce!

Anna-Belle
Réservée, elle n'en est pas moins curieuse et intéressée. Elle pose mille et une questions et ne

s'arrête que lorsqu'elle sent qu'elle est allée trop loin.

Anne-Barbara
Elle possède une ardeur au travail qui la distingue de ses collègues, mais elle sait respecter ses limites. Elle vit en harmonie avec ses besoins.

Anne-Berthe
Elle est intéressée par tout ce qui bouge! Une fois qu'elle s'est fixée un but cependant, elle s'affaire à réaliser ses objectifs.

Anne-Catherine
Perfectionniste de nature, elle a de grandes attentes vis-à-vis de son amoureux ou de ses collègues de travail. Elle aime bien sa solitude.

Anne-Cathy
Elle déteste qu'on la mène en bateau. Elle est appliquée, et les résultats positifs qu'elle obtient ne sont que le résultat de beaucoup d'efforts.

Anne-Cécile
Elle est très généreuse, mais elle s'élève sans gêne devant toute forme d'exploitation humaine.

Anne-Charlotte
Son agenda est rempli d'activités variées. Elle aime que le monde bouge autour d'elle et apprécie de travailler avec le public.

Anne-Christine
Elle aime savoir ce qui se passe dans le monde. Informée, elle ajoute son grain de sel, qui plaît par son originalité.

Anne-Claire
Elle ne passe jamais par quatre chemins pour dire ce qu'elle pense. Elle enrobe sa réalité d'une belle poésie.

Anne-Claude
Elle ne fixe pas aisément ses objectifs mais, une fois en selle, peu de choses l'éloignent de son sujet.

Anne-Claudie
Elle déteste avoir à se battre pour ses principes et ses idées. Pourtant, elle doit le faire afin de trouver son harmonie.

Anne-Colette
Elle n'apprécie guère lorsqu'on tente de lui mettre des bâtons dans les roues. Elle s'applique pourtant à faire le mieux possible, mais certains ne sont jamais contents...

Anne-Dorothée
Elle s'intéresse à tout, mais elle sait aussi où elle s'en va. Elle reste toujours posée devant les situations les plus tendues.

Anne-Élizabeth
Elle croit en ses idées et les défend. Intransigeante, elle est réaliste et n'accepte pas les rêveurs.

Anne-Émilie
Le compromis ne fait pas partie de sa vie. Si elle a des enfants, elle se donne sans compter.

Anne-Flore
Elle garde ses distances et préfère se donner du temps avant de prendre des décisions. Elle possède un grand magnétisme.

Anne-Florence
Elle est plutôt sérieuse. Elle n'a que faire des moqueries et des mensonges, qu'elle abhorre.

Anne-Françoise
Pour elle, la vie est toujours belle. Elle trouve tant de choses à faire qu'elle n'a pas le temps de se morfondre.

Anne-Frédérique
Elle doit être la meilleure, un point, c'est tout! Elle n'accepte pas l'échec, bien qu'elle gagne à connaître ses limites.

Extrait du livre «Être maman, c'est si beau».
Voir page 269.

Anne-Gabrielle
Réfléchie en tout ce qui concerne les affaires, les études et la planification, elle se perd lorsqu'elle croise l'amour.

Anne-Gaëlle
Elle possède une grande beauté intérieure, mais elle vit plusieurs déchirements, car elle ne peut se donner à tout et à tous.

Anne-Isabelle
Sûre d'elle et appliquée dans son travail, elle est une mine d'or pour tout employeur, à moins qu'elle ne décide d'être son propre patron!

Anne-Jolène
Elle a besoin qu'on lui pousse dans le dos à l'occasion. Pourtant, avec son petit caractère, on la croirait plus forte. Il ne faut pas toujours se fier aux apparences...

Anne-Julie
Elle aime les conversations. Comme elle s'intéresse à une immense variété de sujets, elle sait toujours placer un bon mot au bon moment.

Anne-Juliette
On aurait bien du mal à lui trouver un défaut. En fait, elle est si gentille, si disponible qu'on ne lui en veut jamais. C'est une amie sincère et intègre.

Anne-Laure
Elle aime s'informer de tout et de rien et elle enregistre tous les détails. Avec elle, l'écoute n'est pas qu'une simple apparence.

Anne-Laurence
La discipline n'est pas son fort, mais elle exige une attention de tous les instants. Fière, elle se montre directe et sans-gêne, mais on aime son caractère décidé et fonceur.

Anne-Lena
Elle est d'une grande sensibilité. Elle aurait avantage à prendre du recul, mais elle se donne sans compter. Elle doit faire attention aux profiteurs.

Anne-Line
Elle réussit à conjuguer son grand cœur avec la réussite professionnelle. Elle fait tout en son possible pour atteindre ses objectifs.

Anne-Lise
Elle prend son temps, étudie les problèmes de façon lucide, mais hésite devant les défis. Pourtant, elle est intelligente et possède assez de patience pour arriver à ses fins.

Anne-Lucie
Elle s'intéresse à tant de chose qu'aucune de ses priorités ne tient plus que quelques jours. D'humeur changeante, elle vogue dans la vie comme sur une mer tumultueuse.

Anne-Lucille
Elle ne manque pas d'audace. Sa réalité comporte beaucoup de références imaginaires qu'elle seule semble être capable d'interpréter.

Anne-Marcelle
Elle est un véritable tourbillon. Elle vit selon des doubles standards, soit ceux qu'elle se donne et ceux qu'elle exige des autres. Elle aime les enfants.

Anne-Margaret
Parfois dure, elle ne tolère pas la lâcheté. Elle est une vraie femme d'affaires, mais sait garder des sentiments généreux envers ceux qu'elle aime.

Anne-Marie
Femme forte, Anne-Marie ne s'en laisse imposer. À un point tel qu'il est difficile de vivre à ses côtés. Les expériences ne lui font pas peur.

Anne-Mélanie
Frivole au premier abord, elle sait exactement quelles sont ses priorités. Elle aime toutefois brouiller les pistes. Quelque peu égoïste, elle s'applique à réussir ses projets.

Anne-Mélissa
Elle est une confidente attentive et se montre intéressée à ceux et celles qui demandent son aide.

Anne-Michèle
Directe, elle devient presque insolente dans certaines discussions où elle tient son bout. Le temps se chargera de montrer qu'elle avait raison…

Anne-Myriam
Anticonformiste, elle a des passions un peu étranges si on la regarde de loin. D'un caractère changeant, elle se stabilise avec des grands projets, comme celui d'avoir des enfants.

Anne-Noémie
De nature inquiète, elle se garde toujours des réserves financières pour les mauvais jours. Elle a un grand cœur, mais ses interventions parfois gauches laissent une dôle d'impression.

Anne-Patricia
Elle n'est pas à une contradiction près! Elle exige ainsi beaucoup de patience de la part de ses proches. Les projets de longue haleine la rebutent.

Anne-Sophie
Elle est une véritable bibliothèque ambulante! Elle a toujours un point de vue éclairé sur tout sujet d'actualité et sait remettre en perspective les propos moins réfléchis.

Annick-Françoise
Elle n'aime pas être prise au dépourvu. Son grand sens de l'intuition l'aide d'ailleurs à prévoir les coups. On apprécie son dynamisme.

Annick-Marie
Sa dualité la laisse aux prises avec de sérieux problèmes dans la prise de décision. Parfois indépendante, elle a besoin de sentir qu'on l'aime.

Annick-Paule
Fragile malgré ses airs suffisants, elle refuse toute autorité. Sa vie lui appartient, mais elle a besoin de ses amis afin de survivre aux attaques quotidiennes.

Annie-Claude
Dire qu'elle croit en elle-même serait un euphémisme. Elle est flamme qui ne s'éteint jamais, mais elle doit quand même prendre garde aux dépressions...

Annie-France
Elle a tant besoin de ses parents. Elle semble manquer d'autonomie mais, pourtant, elle réussit très bien ce qu'elle entreprend.

Annie-Françoise
Elle est un véritable trésor de ressources! On l'aime, on l'admire, mais rarement réussit-on à percer vraiment son intimité.

Annie-Kim
Elle est enjouée et adore rire. Sa belle énergie la propulse vers de hauts sommets, mais elle manque parfois d'ambition pour les atteindre.

Annie-Pier
Sa passion la rend aveugle. Pour elle, l'amour est ce qu'il y a de plus important. Au passage, elle doit recevoir l'appui de ses proches, car les blessures la guettent.

Annie-Rochelle
Elle est entièrement maître de son destin. Elle peut paraître froide aux yeux de ceux et celles qui la regardent de loin ou qui ont peur de s'en approcher.

Annie-Stéphanie
Elle aime être appréciée, tant et si bien qu'elle ferait n'importe quoi pour attirer l'attention. Elle se perd parfois dans ses mille et un projets.

Audrey-Anne
Sentimentale, elle porte beaucoup d'attention à son apparence, de peur d'être blessée par des commentaires désobligeants.

Audrey-Jade
Elle a peur de décevoir. Par contre, elle ressent toujours le besoin d'aller de l'avant. Entre les deux, elle hésite.

Audrey-Kim
Elle aime être entourée d'amis et est prête à tolérer les caractères les plus instables. Son humilité l'honore.

Audrey-Rose
Ses idées sont claires et bien arrêtées. Gare à celui ou à celle qui voudra l'ébranler cependant, car elle possède une sensibilité à fleur de peau.

Axelle-Anne
Elle est difficile à suivre, car elle possède à la fois un caractère difficile à supporter et une grandeur d'âme peu commune.

Axelle-Jeanne
Elle a un talent certain pour les communications. Elle a une élocution franche et s'en sert à bon escient.

Axelle-Kim
Il ne faut pas la prendre à rebrousse-poil! Gentille et attentive aux besoins des autres, elle peut alors se montrer fort détestable. Impulsive, elle a parfois des réactions extrêmes.

Axelle-Marie
Elle hésite à donner son avis ou à faire des choix, car elle étudie toujours toutes les facettes d'une situation avant de se fixer.

Axelle-Nadine
Elle ne se laisse guère apprivoiser par le pre-

mier venu, mais elle fait de ses amis son ultime priorité.

Berthe-Amélie

Il est difficile de retenir son attention très longtemps tant son cerveaux fourmille d'idées. Quand elle passe à l'action, c'est pour réussir.

Berthe-Catherine

Elle est un véritable ouragan! Quand elle parle, elle ne supporte pas qu'on l'interrompe.

Berthe-Denise

Elle n'aime pas du tout qu'on la contredise. Toutefois, elle a tant besoin de chaleur humaine qu'elle tolère certaines personnes, comme les membres de sa famille.

Berthe-Élise

Un peu pessimiste, elle doit d'abord apprendre à s'aimer. Ses possibilités sont presque infinies, et elle doit saisir les occasions qui se présentent.

Berthe-Françoise

Jamais à court d'idées, elle agit promptement de façon à obtenir du succès le plus vite possible. On ne peut la décevoir…

Berthe-Julie

Elle est originale et possède des grandes ressources d'énergie. Talentueuse, elle se sert aussi de son charme éclatant pour obtenir ce qu'elle désire.

Berthe-Lucie
Grande travailleuse, elle ne réussit pas toujours à garder de la constance dans ses réalisations. Elle pense peut-être à trop de choses à la fois…

Berthe-Sophie
Son intuition est juste. Ainsi, elle désamorce des conflits avant qu'ils n'explosent. Elle est une leader dans son groupe d'amis.

Camille-Laure
Elle voyage en eaux troubles. Elle aimerait être connue et reconnue à sa juste valeur. Elle doit cependant apprendre à donner pour mieux recevoir...

Camille-Louise
Il est rare qu'elle se fâche, mais cela ne veut pas dire que rien ne l'atteint. Elle a une belle énergie et possède beaucoup de charme.

Camille-Sophie
Sa franchise l'honore, parce qu'elle sait user de tact. Elle rêve de voyage. Sa vie est joyeuse, car elle évite les contraintes.

Carole-Anne
Appliquée mais fort distraite, elle est à la fois la pluie et le beau temps. Elle doit faire attention à l'alcool, qui exagère les émotions.

Carole-Aude
Rien ne l'arrête lorsqu'elle a une idée en tête.

En dehors de ces périodes fastes, elle reste simple et attentionnée.

Carole-Marie
Elle semble parfois très portée à ne regarder que vers le passé. Elle doit prendre confiance en ses moyens.

Carrie-Anne
Douce et attentionnée entre amis, elle devient forte et volontaire dans ses activités professionnelles.

Carrie-Éléonore
Elle sait mieux que quiconque faire la différence entre vie privée et profession. Elle ne dévie jamais de son objectif premier: trouver le bonheur.

Catherine-Anne
Le moins qu'on puisse dire, c'est qu'elle déplace de l'air! Parfois intransigeante, elle ne craint pas l'adversité.

Catherine-Marie
Intelligente, elle a de grands objectifs. Ses capacités exceptionnelles et sa polyvalence la font hésiter avant de se lancer complètement vers un but précis.

Catherine-Sarah
Elle ne se laisse pas impressionner facilement. Honnête, elle attend de ses proches une pareille droiture.

Catherine-Sophie
Très forte, elle dérange et déstabilise les gens qu'elle rencontre pour la première fois. Sa mémoire lui permet de se souvenir des moindres détails.

Cathya-Annick
Elle hésite souvent avant de se forger une opinion. Elle aime tout savoir d'une personne avant de la compter ou non parmi ses amis.

Cathy-Amélie
Elle apprécie grandement les moments de solitude. Elle réfléchit mieux quand elle est seule, lorsqu'elle peut laisser aller son imagination.

Cathy-Émilie
Elle voit dans les yeux des gens. Elle aime savoir, recherche la vérité en toute circonstance.

Cathy-Louise
Elle déteste le stress. Capable de tout, elle n'aime pas qu'on la suive pas à pas ou qu'on regarde par-dessus son épaule. Elle est trop autonome pour l'accepter.

Cathy-Madeleine
Généreuse et attentionnée, elle garde ses énergies pour ceux et celles qui en valent la peine. Elle n'accepte dans son entourage que les gens passionnés.

Céline-Audrey
Intuitive, elle se lance dans toutes sortes d'aventures rocambolesques. Elle a besoin de bouger pour être heureuse.

Céline-Claire
Logique, elle vit selon des principes difficiles à faire plier. Elle est persuadée qu'un jour on la reconnaîtra à sa juste valeur.

Céline-Josée
Elle parle constamment, animée d'une énergie débordante et parfois envahissante. Elle est celle qui dirige, sinon elle s'éclipse.

Céline-Marie
Ambitieuse, elle dirige sa destinée... et parfois celle des autres! Elle doit apprendre à se retirer lorsqu'il le faut afin d'éviter de se faire trop d'ennemis.

Céline-Monique
On ne la prend pas au dépourvu. Chez elle tout est soigneusement rangé et elle est toujours bien vêtue, au cas où...

Céline-Pier
Réservée et émotive, elle ne se prononce pas tant qu'elle n'a pas en main tous les éléments d'une réponse.

Chloé-Alexandra
Elle a besoin d'un clan. Ses amis et sa famille n'ont pas la tâche facile avec elle, car elle a

toujours une nouvelle bonne idée à leur soumettre.

Chloé-Laure
Elle sait tant où elle s'en va... Elle est le leader du groupe, la fondation d'un projet. Elle n'est que rarement prise au dépourvu.

Chloé-Léa
Fragile mais si généreuse, elle n'accepte pas qu'on dise du mal de ses proches. Elle s'oublie aussi parfois...

Chloé-Rose
Une fois lancée, elle ne se laisse pas arrêter facilement. Elle est une tigresse, possessive mais entièrement dévouée.

Claire-Hélène
Elle sait comment animer une soirée. Sans toujours être le centre de l'attention, elle met en valeur certaines personnes.

Claire-Nathalie
Si elle pardonne facilement à ses plus fidèles amis, elle rejettera à jamais une personne qui se présentera à elle de la mauvaise façon.

Christelle-Dana
Elle a des goûts bien raffinés. Les défis ne la gênent guère, puisqu'ils lui permettent la plupart du temps de se payer le luxe qu'elle désire.

Christelle-Kathleen
Son temps est compté. Elle n'aime pas les rêveurs. Elle préfère garder près d'elle des gens d'action.

Cindy-Catherine
Elle fait ce qu'elle aime et ne se laisse jamais importuner. Elle a un caractère complexe et parfois dérangeant.

Cindy-Mélanie
Terre à terre, elle aime posséder des biens pour la simple raison qu'ils lui procurent beaucoup de confort.

Colette-Edna
Elle possède un sens aigu de l'observation et s'en sert afin de séparer ses vrais amis des faux. On ne la trompe pas!

Colette-Marie
Directe et franche, elle se ronge les sangs parfois, de peur d'avoir blessé quelqu'un par ses propos.

Cynthia-Anne
Elle sait que la perfection n'est pas de ce monde, ce qui ne l'empêche pas de se dépasser constamment. Son bonheur, elle le doit à elle seule.

Cynthia-Doris
Elle est la bonté même. Elle reconnaît les talents des gens et les utilise pour qu'ils s'épanouissent.

Cynthia-Ève

Elle se cherche une mission, un objectif. Si elle paraît lente, c'est qu'elle a besoin de beaucoup d'énergie pour se lancer corps et âme dans un projet.

Cynthia-Frédérique

Son jugement ne saurait la tromper. Elle lit dans les intentions. Les informations qu'elle donne sont exacts, car elle vérifie toujours deux fois plutôt qu'une.

Cynthia-Marie

Adversaire féroce, elle ne se laisse pas abattre aisément. Par contre, lorsqu'elle se sent de trop, elle préfère s'en aller plutôt que s'imposer en des lieux hostiles.

Cynthia-Mathilde

Dotée d'une force morale peu commune, elle est une femme de tous les combats. Elle sait obtenir le maximum de chacun.

Cyril-Anne

Elle aime la beauté dans tout. Artiste dans l'âme, elle est ingénieuse et raffinée. Elle transforme son univers à son gré.

Cyril-Claude

Déterminée, elle ne trouve pas souvent de défis à sa mesure. Elle a de grandes ambitions, mais elle sait rester humaine.

Cyril-Jade

Intransigeante, elle ne sait pas toujours où elle s'en va. Elle demande beaucoup à ses proches, mais sait leur venir en aide lorsqu'il le faut.

Danielle-Anne

Intelligente, elle est enjouée et intéressée par la vie qui bouge autour d'elle. Elle aime monter des projets.

Danielle-Marie

Elle parle peu, mais écoute beaucoup. Toujours prête à aider, elle demande en échange la même attention.

Danielle-Sophie

Elle fait toujours pour le mieux. Si elle se trompe, elle apprend. Jamais stressée, elle apporte beaucoup de calme là où elle passe.

Daphné-Alice

Elle mêle parfois la réalité et ses rêves les plus fous. Toutefois, elle tient en ses mains le pouvoir de changer les choses.

Daphné-Maude

Elle aime le luxe, mais ne sait pas quand s'arrêter. Ses dépenses sont pourtant moins élevées que l'énergie qu'elle consacre à ses amis.

Daphné-Tina

Plus les défis sont grands, plus elle performe. Elle place toujours la barre très haute, au travail comme avec ses amis ou son amoureux.

Denise-Marie
La vie en solitaire la rebute. Elle a besoin que tout bouge autour d'elle. Étourdie, elle pense alors à se recueillir, mais elle ne veut pas se retrouver seule!

Denise-Simone
Avec elle, ce qui est dit est dit! Il n'est pas question de revenir en arrière. Dans ce cas, elle ferait une colère qu'elle ne serait pas la seule à regretter.

Diane-Dominique
Elle prend bien des détours pour dire ce qu'elle a sur le cœur. La prudence est certes une qualité, mais elle a ses limites.

Diane-Julie
Elle prête toujours une oreille attentive aux problèmes des autres. De là à les résoudre cependant, il y a une bien grande marge...

Diane-Marie
Elle aime la tranquillité. Pour elle, le caractère humain de toute chose constitue l'essentiel. Les finances passeront toujours en second.

Élise-Anne
Elle apprend vite ce qu'est la diplomatie, un art qu'elle maîtrisera de mieux en mieux avec l'âge.

Élise-Marie
Elle aime prendre du recul pour juger d'une situation. Elle est aussi animée d'un bel humanisme.

Élise-Sophie
Le rêve et la réalité se mélangent dans son univers. Elle est pourtant certaine d'avoir les deux pieds sur terre...

Élodie-Catherine
Avec elle, il n'y a pas de place pour la mollesse ou pour le désespoir. Elle est intense dans toutes ses actions.

Élodie-Pascale
Elle vole au gré de ses amours et se blesse souvent au contact de gens sans scrupules. Elle a besoin de beaucoup d'attention.

Émilie-Claude
Elle s'entête à réussir même ce qu'elle semble incapable d'accomplir. Elle est une battante qui refuse l'échec.

Émilie-Doris
Elle aurait intérêt à apprendre l'art du compromis... Elle aime l'harmonie, mais a du mal à la trouver en elle-même.

Émilie-Pauline
Elle aime les luttes, où elle prend le haut du pavé. On l'aime sans la connaître grâce à son charme dévastateur.

Estelle-Anne
Elle a ce don de faire de ses proches de meilleures personnes. Elle aime agir dans l'ombre.

Estelle-Geneviève
Sans regrets, elle laisse la place aux gens qu'elle considère comme meilleurs qu'elle. Elle apprend ainsi à se surpasser.

Estelle-Hélène
Passionnée d'amour, elle reste patiente et attend la «bonne» personne. Elle lui donnera alors son cœur sans retenue.

Estelle-Julie
Elle n'est jamais à court de projets. D'un naturel plutôt nerveux, elle ne les mène cependant pas toujours à terme.

Estelle-Rose
Elle n'aime pas avoir à confronter ses ennemis. Si toutefois cela se produit, elle sort ses griffes!

Estelle-Sophie
Elle connaît les rouages de la parole. Parfois cynique, elle sait comment narguer ses adversaires et les envoyer au tapis.

Ève-Christiane
Elle déteste l'hypocrisie et les apparences. Son monde est celui de la justice et de l'égalité entre les gens.

Ève-Line
Séductrice, elle est une véritable conquérante. Son autorité pèse lourd dans toutes les prises de décision.

Ève-Madeline
Elle sait où elle s'en va, même si elle semble flotter sur un nuage. Elle apprécie autant la solitude que les moments passés en groupe.

Ève-Marie
Courageuse et persévérante, elle est aussi très exigeante envers ses proches. Elle ne peut s'empêcher d'exceller.

Ève-Raphaëlle
Elle est une sorte de pilier pour ses proches, qui apprécient sa chaleur humaine. Elle exige beaucoup d'elle-même.

Ève-Rosie
Elle a du charme et montre une belle vulnérabilité. Sa réussite professionnelle lui tient à

cœur, mais elle ne la fait pas passer avant ses intérêts familiaux.

Ève-Sophie
Émotive, elle a besoin de se sentir en confiance et aime recevoir de petites marques d'attention. Elle est très exigeante, car elle se doit d'exceller.

Fleur-Anne
Son nom évoque une trop rare poésie dans le monde moderne. Elle a une imagination fertile et déborde de vie.

Frède-Line
Sérieuse et appliquée, elle aime que tout soit clair et sans équivoque. Dans ses loisirs, elle aime le calme des montagnes.

Frédérique-Anne
Patiente et réfléchie, elle inspire le respect de tous, autant par ses actes que par ses paroles.

Frédérique-Marie
Intellectuelle dans l'âme, elle est capable de grands discours. Elle a un don pour l'écrit, car elle est structurée.

Frédérique-Sophie
Elle a besoin d'air pour s'affirmer complètement. Dans un environnement qui le lui permet, elle est capable de grandes réalisations.

Gaëlle-Anne
Elle en prend beaucoup sur ses épaules. Com-

me elle aime le travail bien fait, il lui arrive de souffrir d'insomnie.

Gaëlle-Marie
Sa quête de bonheur est parsemée d'embûches. Son cœur saigne à la moindre éraflure. Elle aimerait tant qu'on l'apprécie.

Gaëlle-Sophie
Elle a besoin de se confier de temps à autre. Émotive, elle aime recevoir de petits cadeaux, savoir qu'on pense à elle.

Hélène-Andrée
Douée pour les arts, elle est le parfait mélange entre le côté stricte des responsabilités et la douce ivresse des belles et heureuses folies.

Hélène-Lise
Elle souffre d'insécurité chronique, mais elle a tellement un grand cœur. Avec elle, tout est toujours bien rangé, sauf peut-être la vie amoureuse.

Hélène-Louise
Elle veut qu'on la respecte. Bien mise, elle cherche la perfection. Son attitude est celle d'une femme forte qui tient à ses valeurs.

Hélène-Luce
Elle contrôle ses émotions, à moins que quelqu'un pousse le bouchon un peu trop loin. Elle est un leader.

Huguette-Lise

Elle n'aime pas qu'on découvre en elle une faille. Aussi est-elle toujours aux aguets. Elle fait parfois peur, car elle se tient sur la défensive.

Irène-Élise

Elle est responsable. Sa franchise est une de ses plus belles qualités, mais elle doit user de plus de tact dans des situations corsées.

Irène-Jolie

Elle est très attirée vers les hautes sphères de la société. Elle se pare de ses plus beaux atours pour séduire, mais le jeu n'en vaut pas toujours la chandelle.

Irène-Louise

Elle aime se recueillir au son de ses musiques préférées. La bonté de son âme sert à merveille ses amis les plus proches, qui voient en elle une personne belle et simple.

Jacinthe-Anaïs

Elle a des objectifs bien précis qu'elle s'affaire à atteindre. Elle a un caractère fort qui indispose certains, mais elle n'a que faire des pleurnichards.

Jacinthe-Émilie

Elle a les capacités d'une leader. Ses bonnes manières et son amabilité cachent une main de fer des plus puissantes!

Jacinthe-Isabelle
Elle déteste les contretemps. Avec elle, on ne peut tourner autour du pot. Elle est directe, autoritaire et sait exactement où sont ses priorités.

Jacinthe-Renée
Elle aime bien paraître. Son monde semble superficiel, mais c'est qu'elle n'y laisse pas entrer n'importe qui.

Jeanne-Catherine
Son quotidien se vit à une vitesse folle. Elle ne semble jamais prendre de repos. Si on lui dit de respirer un peu, elle en fait encore plus.

Jeanne-D'Arc
L'histoire de l'humanité semble peser sur elle. Tourmentée, elle veut vivre dans un monde meilleur et se dit prête à changer les choses.

Jeanne-Josée
Elle doit apprendre à réfléchir avant de parler. Elle se confie aisément, ce qui fait qu'elle garde peu de secrets. Vulnérable, elle est aussi loyale. Peut-être même un peu trop.

Jeanne-Kim
Le rangement, ça la connaît. En fait, elle déteste le désordre. Elle passe continuellement derrière les autres pour ramasser, ce qui en désespère plus d'un.

Jeannie-Mireille
Elle semble vivre sur un nuage tellement tout va bien pour elle. Elle déteste cependant être abordée cavalièrement.

Joëlle-Marie
Sa vie se déroule à un rythme infernal. Elle a beaucoup d'énergie, mais sombre dans l'ennui lorsqu'elle se retrouve seule.

Joëlle-Sabine
Elle est prête à tout pour vivre entourée de ses meilleurs amis. Amie fidèle, elle est cependant volage en amour.

Josée-Alexandra
Elle semble vivre nonchalamment, mais ce n'est qu'illusion. Elle a des idées originales qu'elle veut mettre en pratique, avec sa belle humeur.

Josée-Anne
Elle est née sous le signe du charme et de la séduction. Elle adore les contacts humains, qu'elle multiplie au fur et à mesure que ses idées, abondantes, varient.

Josée-Catherine
Elle ne se compte jamais d'histoire. On la connaît dès le premier contact. Elle est franche et vraie. Elle a une grande force de caractère.

Josée-Élise
Douée pour les communications, elle aime rencontrer des gens. Chacun d'eux a quelque chose à lui apprendre, pense-t-elle.

Josée-Ève
Elle hésite à se positionner en première ligne, car elle supporte mal la critique. Elle préfère donc rester dans l'ombre, le temps d'acquérir une expérience solide.

Josée-Line
Elle apprend vite le sens de l'autonomie. Sensible, elle attend le compagnon idéal sans pour autant y rêver.

Josée-Lise
À sa confiance qu'elle accorde à presque tous se mêle une méfiance qui lui évite bien des écueils. Elle sait ce qu'il faut faire pour réussir.

Josée-Marie
Elle est une verbomotrice en puissance, mais aime bien la solitude. Toujours prise entre deux feux, elle se garde des moments bien à elle afin de faire le point.

Josée-Michèle
Elle a des valeurs difficiles à ébranler. Sa volonté ne fait aucun doute. Elle est aussi patiente, car elle sait que tout vient à point à qui sait attendre.

Josée-Nathalie
Si son orgueil semble parfois mal placé, elle lui doit un professionnalisme qui lui montre le haut du pavé.

Josée-Sophie
Le stress ne fait pas partie de son mode de vie. Elle prend son temps, organise son temps et son espace de façon pratique et travaille avec minutie.

Joséphine-Marie
Sa patience lui permet d'être reconnue à sa juste valeur sans jouer sous les feux de la rampe. Elle n'aime pas se retrouver en première ligne, mais ses résultats sont constants.

Josie-Anne
Elle mène sa barque à sa manière. Elle aime diriger, mais se plaît aussi dans un rôle de second. Selon ses humeurs, elle peut être très aimable ou absolument détestable!

Josie-Catherine
Elle sait se rendre utile. Elle est animée d'une belle énergie, ce qui attire vers elle des gens de toutes classes sociales.

Judith-Catherine
Elle a bien des talents, mais elle se contente de peu. Elle cherche une vie sereine et redoute les ambitieux.

Judith-Jasmine
Elle a des idées de grandeur et se dit prête à s'expatrier pour ses rêves. Elle pense d'abord à elle, mais sait aussi se montrer généreuse.

Judith-Lucie
Elle est très patiente. Avant de se lancer dans une nouvelle aventure, elle essaiera d'en connaître d'abord tous les détails.

Judith-Marie
Pour elle, la vie ressemble à un long dilemme. Toujours prise entre deux feux, elle se demande si elle fait les bons choix.

Judith-Sophie
Elle sait se débrouiller dans à peu près toutes les situations. Sans se démarquer par une imagination fertile, elle est pratique, et ses idées reçoivent l'attention qu'elles méritent.

Julie-Anne
Intelligente, elle découvre des moyens différents d'agir. Puisqu'on n'est pas habitué à ses méthodes, elle doit souvent se justifier, ce qu'elle fait avec un brin d'irritation.

Julie-Audrey
Elle sait d'où elle vient, ce qu'elle a eu à vivre avant de devenir ce qu'elle est. Elle a besoin de sécurité pour se sentir à l'aise.

Julie-Christelle
Elle se montre cynique envers les gens qui doutent de ses qualités. Charmante, elle n'accepte cependant pas n'importe qui dans son entourage.

Julie-Estelle
Elle peut paraître hautaine lorsqu'on la rencontre pour la première fois, mais elle a un cœur d'or. Elle aime aussi le luxe.

Julie-Pier
Elle se donne corps et âme pour ses amis les plus proches. Son cercle d'amis a quelque chose de sacré. Elle sait très bien faire la différence entre les amours et le travail.

Justine-Marie
Elle s'efforce de rester équitable envers tout le monde. Elle a bien sûr ses propres problèmes, mais elle les vit intérieurement.

Kellie-Anne
Elle apprécie les ambiances survoltées. Quelle que soit la raison de la fête, elle est de la partie. Elle ne veut certes rien manquer de ce qui se passe autour d'elle.

Kim-Sophie
Elle a besoin de savoir qu'on l'aime. Elle recherche toujours l'approbation. Pourtant, elle devrait se faire confiance.

Lana-Anne
Elle est bien de son temps. Elle aime la nouveauté et cherche à comprendre le fonctionnement des appareils de pointe. Elle est tout simplement brillante.

Laura-Anne
Elle voudrait changer le monde, mais elle sait qu'elle ne le peut pas toute seule. Ainsi, elle s'échine à trouver des solutions afin d'améliorer la vie de ses proches.

Laura-Claudia
Elle a des idées bien à elle, qui sont le fruit de ses questionnements. Curieuse, elle veut connaître la vie des gens et ce qui leur tient à cœur.

Laura-Louise
Elle voit grand, et peu de choses peuvent détourner son attention de son objectif premier. Elle ne sent cependant jamais le besoin d'écraser les gens pour avancer.

Laura-Manon
Elle aimerait avoir un compagnon de vie qui soit pour elle à la fois un confident tendre et un pilier solide.

Laura-Marie
Elle a un sens développé pour la justice sociale. Ses préoccupations peuvent cependant l'éloigner de ses proches, qui reconnaissent en elle une personne de cœur.

Laurence-Anaïs
Elle incarne la douceur féminine tout en montrant une force de caractère au-delà du commun. Lorsqu'elle prend des moments seule, c'est pour apprendre, étudier, s'informer.

Laurie-Anne
Elle semble incapable d'être méchante. On lui donnerait le bon Dieu sans confession! Mais c'est une rose avec des épines! Elle sait comment se défendre...

Laurie-Danielle
Elle parle bien, sait convaincre les gens de la valeur de ses projets et aime mener à bien ses missions. Au travail, les sentiments n'ont pas leur place. À l'extérieur, c'est autre chose...

Léa-Carole
Elle s'oublie dans tout ce qu'elle accomplit pour les autres. Elle en retire cependant une belle satisfaction. Finalement, c'est elle qui y gagne.

Léa-Pascale
Elle vit selon les règles que lui dicte son cœur. Sa paix intérieure est une véritable béatitude.

Léa-Sylvie
Elle aimerait prendre la vie avec un grain de sel, mais elle ne peut que s'émouvoir devant la misère humaine. Femme de cœur, elle se donne à des causes sociales.

Lili-Anne
Sociable et intéressante, elle se garde un minimum d'amis fidèles qui savent combler ses lacunes. Prudente, elle prend son temps pour analyser les occasions qui se présentent à elle.

Lili-Claude
Elle semble au-dessus de ses affaires. Elle se donne des airs de suffisance, mais c'est qu'elle a une carapace afin de parer les coups durs.

Lili-Maude
En brille de tous ses feux lorsqu'elle est entourée de son groupe d'amis. Dans son travail, elle doit porter une attention spéciale aux retards...

Lina-Luce
Elle aime organiser des soirées entre amis. Le souci du détail ne la gêne guère. Elle est toujours en mouvement.

Lina-Rachel
Elle aime tant la chaleur de son foyer qu'elle a du mal à en sortir. Trop de choses l'appellent au dehors, et elle prend le temps de choisir sa voie.

Line-Bibiane
Elle adore rendre service. Elle aime s'amuser, faire des folies. Lorsque les obligations l'appellent, elle devient songeuse mais fait ce qu'il faut pour éviter les ennuis.

Lisa-Marie
On dirait qu'elle court après les ennuis. Elle aime relever des défis impossibles. Son ardeur lui vaut bien des compliments.

Lisa-Maryse
Elle change souvent de cap. Ses bonnes idées d'hier semblent déjà ne plus exister. Elle est forte, mais son cœur demande une attention soutenue.

Lise-Beth
Courageuse, elle se joue des barrières qui se dressent devant elle. Elle ne semble jamais manquer d'énergie.

Louise-Andrée
Elle n'aime pas qu'on lui pousse dans le dos. Elle travaille à son rythme et préfère le confort de son foyer à un métier payant mais éreintant.

Louise-Danielle
Elle ne se confie pas à n'importe qui. Indépendante devant les étrangers, elle sait être douce et tendre envers ses proches. Au travail, elle se consacre avec minutie.

Louise-Hélène
Belle de cœur et d'esprit, elle se lance dans des aventures qui paraissent périlleuses aux yeux de ses proches. Peut-être ceux-ci ne la connaissent pas assez, finalement…

Louise-Juliette
Attachante et admirable de simplicité, elle est douée pour les arts et possède un cœur grand comme le monde.

Louise-Marie
Elle sait où elle s'en va. Elle n'hésite pas à parler ouvertement. Ses patrons n'ont qu'à bien se tenir!

Louise-Renée
Elle aime la tranquillité de son chez-soi. Elle a un besoin viscéral de se sentir en sécurité. Les grandes aventures l'effraient. Elle est compréhensive et douce.

Luce-Marie
Elle aime beaucoup les enfants. Ceux-ci lui apportent du réconfort face à la vie, car elle se questionne sur bien des aspects de l'existence.

Luce-Michèle
Les questions économiques l'indiffèrent. Pour elle, ce sont les êtres humains qui comptent. Elle a une belle joie de vivre et met ses énergies pour créer autour d'elle un monde meilleur.

Lucie-Andrée
Elle agit d'instinct. Elle sait où elle s'en va, même si elle ne peut pas toujours expliquer ses décisions. Elle a beaucoup de charme.

Lucie-Lou
Elle est agitée. Un rien l'emballe. Toujours à la recherche de moments forts, elle exige autant d'elle que ce qu'elle demande aux autres.

Lucie-Maude
Elle a tant d'activités qu'elle peut paraître étourdie à l'occasion. Elle n'est jamais seule, car elle s'entoure d'un immense cercle d'amis.

Madeleine-Julie
Elle résiste au changement. Elle semble incapable de s'habituer à de nouvelles règles. Ses courtisans doivent s'armer de patience.

Madeleine-Lucie
Son monde est bâti sur du solide. Elle aime sa tranquillité, mais elle ne déteste pas qu'on la dérange. Cela met du piquant dans sa vie.

Madeleine-Marie
Elle montre le chemin à suivre. Elle semble toujours en avant sur les autres; cela l'aide à briser son sentiment d'insécurité. Elle a besoin de l'approbation de ses proches.

Madeleine-Rose
Elle vit dans les extrêmes. Joyeuse ou triste, elle se présente selon ses émotions du moment. Difficile à saisir, elle est toutefois une amie fidèle.

Manon-Johanne
Elle est orgueilleuse, mais elle sait comment rendre au centuple ce qu'elle reçoit. Elle rejette aussi tous ceux qui la trompent.

Manon-Pierre
La patience n'est pas son fort, mais elle sait comment faire pour donner de son attention. Elle a de brillantes idées, mais leur mise en pratique ne se fait pas en claquant des doigts.

Manon-Renée
Fille passionnée de tout, elle a aussi beaucoup de mal à s'en tenir à un seul objectif tant elle veut tout savoir.

Mara-Gabrielle
Perfectionniste et méthodique, elle aime les défis et les relève tous, en autant qu'on lui en laisse le temps.

Mara-Madeleine
Elle parle sans détour, mais hésite à se confier aux autres. Impulsive, elle ne se rend pas toujours compte des dangers qui se dressent devant elle.

Mara-Sophie
Elle semble toujours en possession de ses moyens, car elle démontre un beau calme et une attitude réfléchie dans la résolution de problèmes.

Marcelle-Line
Secrète, elle rêve aux meilleurs jours de sa vie sans se rendre compte du moment qui passe. Son imagination est très fertile.

Marcelle-Sophie
Une fille dévouée comme elle risque des blessures profondes... Elle aime la vie et souhaite que les autres l'apprécient autant.

Marguerite-Marie
Hésitante et peu aventureuse, elle ne se battra pas avec une concurrente dans le seul but de gagner. Elle laisse beaucoup de place aux autres.

Marie-Abeille
Frivole, elle aime vivre en société. Pour elle, les amis sont les êtres les plus importants. Elle connaît peu les joies du repos et des temps libres.

Marie-Alexandra
Ses intentions sont nobles mais, à force de vouloir sauver le monde, elle oublie parfois qu'elle a, elle aussi, une vie à vivre.

Marie-Alexandrine
Si elle semble excentrique, c'est qu'elle a un grand besoin de s'affirmer comme une personne unique et irremplaçable.

Marie-Alice
À chacun sa vérité! Elle croit tout savoir et ne se

gêne pas pour enseigner ce qu'elle vient d'apprendre.

Marie-Amable
L'amour a des limites qu'elle ne connaît pas. Elle vit dans l'attente du prince charmant, et son monde est très coloré.

Marie-Amandine
Elle est une espèce d'ange avec des griffes! Elle ne se contente jamais d'un petit pain et aime se rebiffer contre l'autorité.

Marie-Andrée
L'amour, toujours l'amour! Elle passe par toute la gamme des émotions dans ses relations, amicales comme amoureuses.

Marie-Andréanne
Elle est un bel exemple pour qui s'intéresse aux caractères changeants. Elle est empreinte de vie et de complexité.

Marie-Ange
Elle porte en elle la diversité des caractères humains. Complexe, elle fuit la neutralité. Ses amis les plus chers ne seront pas déçus d'elle.

Marie-Angélique
Est-elle un ange cornu? Somme toute, on se méfie d'elle. Elle semble trop bonne, trop gentille pour être vraie. Parfois discrète, parfois provocante, elle reste indomptable.

Marie-Anne
Nuancée, elle va chercher l'essentiel de sa vie dans la simplicité, la mesure, la légèreté. Elle observe son monde de façon détachée et mesurée.

Marie-Annette
Sa vie ressemble à une cacophonie, mais elle cherche la symphonie. Tiraillée de tous bords tous côtés, elle aime comme elle déteste, crie sa colère comme elle souffle les mots doux.

Marie-Annick
Modérée dans ses propos, elle cherche davantage à connaître la vérité qu'à avoir raison. On reconnaît son jugement.

Marie-Antoinette
Énergique et animée, elle a aussi une forte tendance au laisser-aller. Elle a beaucoup d'ambition, mais se sert un peu trop des autres pour parvenir à ses fins.

Marie-Astrid
Angoissée à la seule idée d'avoir à choisir, elle ne parvient pas à se décider. Rester dans l'ombre ne l'effraie pas, mais elle préférerait être sous les projecteurs.

Marie-Belle
Sans amour, elle ne fait que survivre. Ce n'est certes pas du point de vue de l'efficacité qu'on l'apprécie. Elle est humaine et agit avec beaucoup d'empathie.

Marie-Bénédicte
Craintive, elle s'en remet à ses rêves. Elle est souvent perdue dans ses pensées. Elle cherche son bien-être et surtout celui de ses proches.

Marie-Bérengère
Elle est une battante. Professionnellement, elle veut toujours être la meilleure, et elle se réalise pleinement. C'est sur le plan personnel qu'elle rencontre le plus d'embûches…

Marie-Blandine
Elle aime son petit confort. Sa tranquillité d'esprit revêt une importance capitale, sinon elle pourrait se laisser aller dans la déchéance la plus complète.

Marie-Camille
Elle sent qu'elle doit combler ses besoins. L'insécurité la tenaille constamment, mais elle sait le cacher, de façon à montrer le plus beau côté de sa personne.

Voir page 269.

Marie-Carmen
Ce qu'elle est perfectionniste! Pourtant, elle met ce besoin du travail bien fait au service des autres. Elle a besoin de sentir qu'elle est appréciée par son patron.

Marie-Carole
Sa joie de vivre est perceptible à des milles. Perfectionniste, elle possède une énergie sans fond. Elle est aussi humaine et sait porter de l'attention à qui en mérite.

Marie-Caroline
Femme forte, elle ne veut montrer aucun signe de faiblesse. Ses engagements sont nombreux, mais n'entre pas qui veut dans sa vie.

Marie-Catherine
Elle a tellement besoin de réussir, tant du point de vue social que matériel. À trop vouloir être parfaite, elle brise des cœurs, manque des occasions et doit reprendre son travail…

Marie-Cécile
Elle déteste les hypocrites. Au départ, elle doute de tout, se demande si ça vaut la peine de mettre tant d'énergie pour réussir sa vie. On doit user de patience pour arriver à la connaître.

Marie-Chanel
Elle peut paraître froide, mais c'est qu'elle hésite avant d'accorder sa confiance. Plutôt que de

s'engager corps et âme dans un projet, elle y va à tâtons, par crainte de l'échec.

Marie-Chantal
Lorsqu'elle entreprend quelque chose, elle va jusqu'au bout, au risque de s'absenter de ses proches. Les projets à long terme l'allument.

Marie-Charlotte
Elle est intelligente et sait calculer ses énergies. Ainsi, sans en avoir trop l'air, elle est sérieuse et appliquée à son travail. Elle se garde toujours du temps pour ses proches.

Marie-Christiane
Elle n'élève jamais la voix. Elle n'en a pas besoin, car elle est patiente et elle sait que son dur labeur sera un jour reconnu à sa juste valeur.

Marie-Christine
Elle reste toujours difficile à découvrir. Curieuse, elle est attirée vers des domaines extrêmes et possède une sentimentalité à fleur de peau.

Marie-Claire
Poète à ses heures, elle vit dans un univers ou se mêlent beauté et horreur. Elle parle beaucoup de ses «visions», de ce que la vie devrait être.

Marie-Claude
Chez elle se confondent la dualité et le paradoxe. Elle est à la fois une leader et une confidente. Elle sait se préserver des excès et attire la sympathie.

Marie-Clothilde
Bien des secrets comblent ses tiroirs. Les siens n'y prennent certes pas le plus grand espace. On peut lui faire confiance.

Marie-Denise
Elle aime l'argent et le confort qu'il lui procure. Elle ne saurait cependant se contenter d'une situation acceptable. Elle veut ce qu'il y a de mieux pour elle et ses proches.

Marie-Diane
Les relations amoureuses ont un côté très amical avec elle. La vie à deux est tellement plus agréable! On doute parfois de la profondeur de son engagement.

Marie-Dominique
Son ardent désir de réussir se transpose aussi bien dans sa vie professionnelle que personnelle. Chaque jour est un nouveau défi pour elle.

Marie-Douce
Belle de cœur, elle ne laisse que peu de gens la connaître parfaitement. Elle aime laisser de fausses pistes…

Marie-Élisa
Elle aurait le monde à ses pieds si elle avait un peu plus confiance en elle. Courageuse, elle va au-delà des apparences.

Marie-Élise
Sa vie se passe au rythme de ses relations amoureuses. Instable, elle déteste qu'on lui impose une voie à suivre. Elle a un bien grand cœur.

Marie-Élizabeth
Douce et joyeuse, elle garde ses distances de peur d'être déçue. Une fois amoureuse, elle se fabrique une bulle avec son compagnon.

Marie-Elle
Elle est le calme dans la tempête. Avec ses proches, elle est attentive et douce. En terrain inconnu cependant, elle garde ses distances.

Marie-Émilie
Sa quête de bonheur la conduit sur des chemins sinueux. Elle se réfugie dans son travail, là où elle ne risque pas d'être déçue, car elle est minutieuse et efficace.

Marie-Estelle
Un peu excentrique, elle est tout de même dotée d'un bon sens de l'écoute. Aux difficultés, plutôt que de se laisser aller, elle cherche des solutions.

Marie-Esther
Rien ne semble pouvoir l'arrêter. Intéressante et intéressée, elle aime discuter, et ses propos ne vont jamais nulle part. Elle a espoir en la vie.

Marie-Eugénie
Pour elle, les contraintes n'existent pas. Elle va au-delà de ses propres capacités. Si elle a quelques remords de conscience, elle ne se laisse pas abattre.

Marie-Ève
Indépendante et volontaire, elle pense d'abord à elle, à son confort. Mieux elle se sent, plus elle se sent apte à venir en aide à ceux qui ont besoin d'elle.

Marie-Éva
Confiante et déterminée, elle peut mener des projets sur de longues périodes. Pour elle, les obstacles ne sont qu'une occasion de plus pour prouver sa valeur.

Marie-Fleur
Elle a un fort penchant pour la beauté. Romantique, elle se laisse aller, devenant nerveuse lorsqu'elle doit reprendre le temps perdu.

Marie-Fleurette
Douce et posée, elle rêve à un monde tranquille où ses plus grands tourments seraient de se lever la nuit pour s'occuper de son bébé.

Marie-France
Calme, elle possède un grand sens de la liberté. Elle s'objecte devant les lois, qu'elle considère trop contraignantes pour son mode de vie.

Marie-Françoise
Autoritaire et exigeante au travail, elle devient tendre et amoureuse à la maison. Elle connaît bien ses priorités.

Marie-Frédérique
Rusée, elle tend des pièges, mais elle n'est pas méchante. Elle veut seulement savoir rapidement en qui elle peut avoir confiance.

Marie-Gabrielle
Elle est nerveuse, car elle veut toujours être au sommet de la gloire. En amour, elle donne beaucoup, car elle en exige autant.

Marie-Gaby
Elle se laisse aller aux joies éphémères. Si cette belle folie lui fait vivre de bons moments, elle doit aussi apprendre à voir à plus long terme.

Marie-Geneviève
Elle reste toujours à l'écoute de ses proches. Elle vit sa vie au quotidien. Elle est une confidente hors pair.

Marie-Georgette
Elle a un don pour les affaires, mais elle préfère le côté humain des choses. La simplicité est son meilleur atout.

Marie-Hélène
Elle a le goût de l'aventure. Indépendante, elle ne donne pas son cœur au premier venu. Elle garde constamment ses distances.

Marie-Isabelle
Elle sait où elle s'en va, mais ne se gêne pas pour bousculer des adversaires au passage. Elle change souvent d'avis.

Marie-Jade
Constante dans son inconstance, elle se laisser aller au gré du vent. Elle bouleverse les habitudes de ses proches, qui ne savent pas toujours comment interpréter ses paroles.

Marie-Jeanne
Elle aime le confort et l'aisance que lui procure l'argent. Quelque peu vantarde, elle aime toutefois partager ses ressources matérielles avec ses amis.

Marie-Jeannie
Fidèle et généreuse, elle a l'esprit large. Elle a souvent de grandes idées, difficiles à réaliser.

Marie-Joëlle
Pure mais très directe, elle déteste le louvoiement, quitte à renier certaines gens pour qui cette technique est parfois salutaire.

Marie-Johanne
L'amour est un jeu pour elle. Ses sentiments restent en surface, à moins que quelqu'un n'arrive à briser la glace…

Marie-Josée
Son caractère enjoué fait d'elle une véritable

vedette. On aime son humour et son petit côté bon enfant.

Marie-Josiane
Complexe, elle va d'un objectif à l'autre sans réussir à se fixer de priorités. Toujours intéressée par la nouveauté, elle a du mal à boucler son budget.

Marie-Josette
L'avenir ne l'inquiète guère. Elle se dit qu'elle fera bien quelque chose de bien lorsque le temps sera venu. Elle prend la vie du bon côté.

Marie-Josèphe
Douée de ses mains, elle construit son monde. Elle aime les couleurs et agence son logis des plus belles parures.

Marie-Judith
N'entre pas dans sa vie qui veut. Elle se laisse séduire longuement avant d'ouvrir sa porte aux étrangers. Une fois conquise, elle se montre très tendre.

Marie-Julianne
Trois prénoms en un forme habituellement un caractère fort mais complexe. Elle dérange mais séduit par sa capacité à défoncer les portes.

Marie-Juliette
Elle aime rencontrer des gens, parler, discuter. Elle est ouverte aux nouvelles idées, qu'elle ne se gêne pas pour remettre en perspective.

Marie-Karla
Elle cherche une certaine quiétude à travers son univers, qui bouge sans arrêt. Tiraillée de tous les côtés, elle en perd sa patience. Elle a pourtant tous les outils pour être heureuse.

Marie-Karline
Elle agit comme elle parle, c'est-à-dire avec modération. Sa quête de la vérité l'emmène sur des chemins sinueux, parsemés d'embûches.

Marie-Kim
Elle porte en elle la complexité de l'être humain. Ses peines précèdent des joies immenses. Elle exige beaucoup de ses proches, mais elle leur voue une admiration sans borne.

Marie-Laure
Elle s'en fait beaucoup pour les autres et oublie ses propres ennuis. L'amour est pour elle une source de joies mais aussi de drames irréparables. Elle vit dans les extrêmes.

Marie-Laurence
Vigilante, elle se tient sur ses gardes. Elle retrouve dans sa famille l'harmonie qu'elle voudrait apporter à son propre foyer.

Marie-Laurette
Elle ne s'en fait pas outre mesure avec ses retards et ses obligations. Elle vit au rythme de ses rencontres sociales. Les peines d'une amie deviennent les siennes.

Marie-Lee
Elle n'est certes pas un fardeau pour ses proches, car elle vit ses problèmes intérieurement. Elle est juste et habituellement joviale.

Marie-Liesse
Elle est une gagnante qui ne se laisse pas abattre aisément. Pour elle, les contraintes ne sont que de nouvelles occasions d'aller au-delà de ses propres capacités.

Marie-Line
Elle fait tout en son possible pour atteindre ses objectifs professionnels tout en respectant les besoins de son cœur. Il y a beaucoup de choses qui la préoccupent…

Marie-Lisa
Son ardeur au travail lui vaut bien des compliments. Elle se donne des défis compliqués, qu'elle arrive la plupart du temps à relever. Elle a peu de temps pour l'amour.

Marie-Lise
Elle est prise dans un tourbillon d'activités. Directe, elle a des idées bien arrêtées, mais se fait prendre par ses incohérences. Sociable, elle déteste l'ennui et la solitude.

Marie-Lou
Coquine et délicate, elle s'amuse constamment. Ses ennuis ne semblent jamais assez lourds pour la rendre maussade.

Marie-Louise
Elle a l'étoffe des vainqueurs. Joviale et intéressée, elle est aussi une bonne travailleuse qui cherche à accomplir ses missions du mieux qu'elle le peut.

Marie-Louisette
Elle a le goût de l'aventure, mais elle craint de prendre des risques. Elle se sent mal d'avoir à refuser des propositions intéressantes à cause de sa peur de l'inconnu.

Marie-Luce
Elle a tant de choses à faire qu'elle s'y perd. Elle a besoin que quelqu'un la ramène à l'ordre de temps en temps. Elle est dévouée pour ses proches.

Marie-Lune
Sans jeu de mot, elle rêve à l'univers qui se dresse au-dessus d'elle la nuit venue. Elle a besoin d'espace, cherchant un sens à sa vie.

Marie-Lys
Elle est une rose avec beaucoup d'épines! Charmante à souhait, elle porte des jugements sévères sur les gens qu'elle apprécie peu.

Marie-Madeleine
Elle se donne entièrement à sa famille. Portée vers la spiritualité, elle découvre des façons de penser qui enrichissent ses horizons.

Marie-Mai
Intelligente, elle possède une concentration exceptionnelle. Elle doit comprendre avant de poser son opinion.

Marie-Marguerite
Elle sait ce qu'elle a à faire pour mener à bien ses projets. Inventive, elle est aussi déterminée. Elle aime ce qui touche la beauté et les arts.

Marie-Marlène
Elle déteste avoir à respecter des règles qui ne proviennent pas d'elle-même. À la maison, c'est elle qui mène. Elle sait aussi se montrer affectueuse et sensuelle.

Marie-Marthe
Elle est méthodique comme pas une, mais préfère œuvrer dans l'ombre. Ses ambitions, elle les garde pour ses proches. Elle est brillante et connaît ses priorités.

Voir page 269.

Marie-Maude
Énergique, elle apprend de ses erreurs. Elle préfèrerait se briser une jambe plutôt que de faire des activités moins risquées!

Marie-Michèle
L'expression orale n'a pas de secret pour elle. Elle ne doit pas se laisser aller aux excès de confiance.

Marie-Miryam
Son esprit est vivement tourmenté. Occupée à répondre à ses questions existentielles, elle en oublie le monde qui l'entoure. Elle a un cœur d'or.

Marie-Monique
Digne de confiance, elle reçoit souvent les éloges de ses supérieurs. Elle ne cherche pas la gloire, mais aime qu'on l'apprécie à sa juste valeur. Elle déteste qu'on brise sa tranquillité.

Marie-Neige
Très forte mentalement, elle se dresse devant ses ennemis tel un mur. Patiente, elle attend que la personne idéale se présente à elle et fait rarement les premiers pas.

Marie-Noëlle
Elle est un cadeau de vie. Elle semble toujours rendre meilleurs ses proches, en qui elle a une grande confiance.

Marie-Normande
Autoritaire, elle met beaucoup d'énergie à atteindre ses objectifs personnels. Elle ne se sert de sa capacité de persuasion que lorsqu'elle sent la situation lui échapper.

Marie-Odile
Elle parle avec aisance, fait montre d'une belle générosité et séduit par son ardeur. Elle pleure en silence, loin des regards indiscrets. Elle se confie rarement.

Marie-Olive
Elle adore partir à l'aventure. En fait, elle ne tient jamais en place, car elle est toujours prise entre deux feux. Les obligations compliquent grandement sa vie.

Marie-Pascale
La beauté humaine la fait chavirer. Elle a du mal à dissocier ses activités professionnelles de ses relations amicales. Elle mêle tout, ce qui lui apporte parfois certains ennuis.

Marie-Paule
Elle montre une volonté de fer, mais elle est tout de même fragile. Elle reçoit mal les commentaires négatifs. La critique reste critique, même lorsqu'elle se veut constructive.

Marie-Pauline
Elle voit tout en grand, en très grand. Ses amours sont magiques, ses projets, grandioses. Elle fait aussi des chutes impressionnantes.

Marie-Perle
Elle scintille dans la foule, mais aime bien retrouver le confort de son foyer. Ses amis apprendront vite à respecter son espace vital.

Marie-Pierre
Parfois brusque, elle aime faire plaisir. Elle s'oublie à l'occasion, car elle est très généreuse. Elle travaille fort pour parvenir à ses fins.

Marie-Pierrette
Elle voit chaque jour de sa vie comme une occasion de rencontrer de nouvelles personnes, d'affronter de nouveaux défis.

Marie-Rachel
Elle est si chaleureuse qu'il est difficile de s'en éloigner. Elle est cependant très possessive, et ses proches voudraient parfois lui dire qu'ils manquent d'air…

Marie-Reine
Elle possède un jardin secret que même ses plus proches amis ne connaissent pas. Elle aime bien s'amuser, et le travail n'est pour elle qu'un mal nécessaire.

Marie-Rivière
Comme l'eau qui suit son cours, elle se laisse voguer au gré des vents et des rencontres. Le stress ne fait pas partie de sa vie.

Marie-Rosalie
Elle a l'air hautain des gens qui semblent dire qu'ils en savent plus que les autres. C'est vrai qu'elle connaît plein de choses, mais elle garde peu de place pour l'amour.

Marie-Rose
Elle voudrait être aimable, mais trop de choses la bousculent. Elle est bagarreuse et fonce dans la vie. Elle ne veut rien manquer.

Marie-Sandra
Elle est un véritable rayon de soleil. Pourtant, elle se pose mille et une questions sur la vie. Elle possède un charme foudroyant.

Marie-Sandrine
Elle déteste avoir à se creuser les méninges. Elle aime voir des résultats rapidement dans tout ce qu'elle entreprend. Ses aventures amoureuses sont souvent de courte durée.

Marie-Sofia
Elle a des talents certains pour les études. Elle apprend très vite. Elle doit donc souvent se résoudre à suivre les autres. Elle est débrouillarde et ne perd jamais son temps.

Marie-Soleil
Elle possède un cœur grand comme le monde. Elle a besoin d'aventure, ce qui lui permet d'élargir son déjà vaste horizon.

Marie-Sonia
Les contradictions font partie intégrante de sa vie. Elle semble toujours prise entre deux possibilités. Populaire, elle aime aussi le calme et la solitude.

Marie-Sophie
La famille est très importante à ses yeux. Le reste n'est que secondaire, car elle prend la vie comme elle vient, sans trop s'en faire des lendemains.

Marie-Stéphanie
Ses airs triomphants cachent une sensibilité à fleur de peau. Elle n'admet jamais qu'elle puisse être blessée. Sa forteresse ne laissera entrer que la bonne personne.

Marie-Stéphanette
Elle a une grande confiance en elle, mais ne se montre pas supérieure pour autant. Son cœur a de l'amour à revendre.

Marie-Suzanne
Animée d'un dynamisme au-dessus de la moyenne, elle est perfectionniste et douée d'une force mentale qui la mènera à des postes de direction.

Marie-Sylvie
Elle aimerait tant vivre dans un milieu calme et serein. La vie étant ce qu'elle est, elle doit se battre pour conserver ses acquis.

Marie-Thérèse
Elle se donne sans compter. Ses ambitions sont plutôt limitées, car elle préfère la chaleur de son foyer à la course effrénée à la réussite professionnelle.

Marie-Véronique
Elle aime la vie, et cela paraît dans son visage. D'humeur agréable, elle ne confie ses problèmes qu'à un nombre restreint de privilégiés.

Marie-Vicky
Elle sourit à la vie, qui le lui rend bien. Toujours agréable, elle se montre tout de même intransigeante envers les gens qui profitent de sa bonté. On ne la trompe pas deux fois.

Marie-Victoria
Elle a bien besoin de se sentir appréciée. Perfectionniste, elle met sa ruse au service de ses succès! Elle voit des solutions là où tous croyaient être arrivés au bout du chemin.

Marie-Violaine
Elle dirige sa destinée de main de maître! Elle sait toujours où elle s'en va. Qui l'aime la suive!

Marie-Virginie
Elle a le sens du devoir accompli. De toutes les batailles, elle se dresse devant ceux et celles qui luttent en sens contraire.

Marie-Yvonne
Elle sait où elle s'en va. Elle est exigeante et aimerait bien que les autres aient les idées aussi claires que les siennes. Son caractère changeant attire les foudres!

Marthe-Aurélie
Il est bien difficile de la faire changer d'avis. Ses problèmes sont grands comme le monde! En revanche, elle sait se rendre utile.

Marthe-Émilie
Elle est convaincue qu'elle est née pour de grands projets. Elle montre un beau leadership, mais elle ne sait pas toujours quand s'arrêter.

Marthe-Michèle
L'argent ne revêt pour elle qu'une valeur sécuritaire. En dehors de cela, elle vit pour ses amis et ne demande jamais rien en retour de ses services.

Marthe-Sophie
Fidèle au poste, elle est méthodique et préfère l'ombre à la lumière. Pourtant, avec une telle imagination, elle mérite de l'attention.

Martine-Audrey
À ne rien essayer, on n'apprend pas. C'est selon ce principe qu'elle va au-devant du danger. Humble, elle sait reconnaître ses torts.

Martine-Michèle
Dévouée à outrance, elle a peur qu'un refus de sa part lui fasse perdre des amis chers. Pourtant, on l'aime comme elle est, bonne et gentille.

Martine-Sophie
Elle vibre pour ses proches et pour sa famille. Elle est consciencieuse au travail, mais ses amours sont souvent passagers.

Martine-Suzie
Elle a bien besoin de se sentir aimée. Émotive, elle s'enferme chez elle lorsque ça va mal. Elle hésite avant de demander de l'aide.

Maude-Alexandra
Elle a de l'instinct et une grande force de caractère. Ses objectifs sont élevés mais certainement pas irréalisables. En amour, elle rêve du prince charmant.

Maude-Alexandrine
Elle observe le monde avec une telle vivacité d'esprit qu'on a du mal à croire tout ce qu'elle voit. Elle semble au-delà de tout, ce qui peut apeurer certains prétendants…

Maude-Alice
Elle déteste avoir des comptes à rendre. Cela la ramène sur terre, alors qu'elle n'en a que pour ses idéaux imaginaires.

Maude-Barbara
Elle s'impose, fait en sorte que jamais on ne l'oublie. Originale dans son approche, elle est toutefois un peu brusque. Elle ne connaît pas tellement l'art de la délicatesse...

Maude-Christelle
Elle cherche la paix du cœur et de l'âme. Coquette, elle se pare de jolis vêtements afin de plaire. Elle reste distante jusqu'à ce qu'elle ait trouvé la personne qu'elle cherche.

Maude-Michèle
Financièrement, elle a bien du mal à respecter son budget. Elle est aux prises avec des sérieux ennuis, car elle rêve de liberté et d'indépendance. Elle est pourtant si chaleureuse.

Maude-Pascale
Sans être matérialiste, elle donne beaucoup d'importance à son confort. Elle travaille avec minutie et sait se rendre utile.

Maude-Sophie
Elle voit grand. Fidèle au poste, elle est méthodique et, avec son imagination débordante, elle repousse les limites. Elle reçoit également beaucoup d'attention, ce qu'elle apprécie.

Maude-Véronique
Elle a de bien bonnes intentions, mais les aléas de sa vie modifient ses objectifs. Elle adore les sciences occultes, qui donnent un sens à son désir de découvrir le sens de l'existence.

Michèle-Barbara

Il est difficile de l'ignorer, car elle prend beaucoup de place. Elle est animée d'une belle énergie, mais son côté frondeur peut en indisposer quelques-uns.

Michèle-Marie

Elle rêve de liberté et d'indépendance, mais elle a besoin du soutien de ses proches pour passer au travers des difficultés de la vie. Elle est vulnérable mais tellement aimable…

Nancy-Diane

Elle est une personne en qui on peut avoir confiance. Perfectionniste, elle ne déçoit jamais ses proches, ni au travail ni à la maison.

Nancy-Maude

Elle prend beaucoup de risques. Elle aime savoir jusqu'où elle peut aller. Elle a plusieurs projets en tête et, tant qu'on ne l'en a pas découragée, elle se prépare à les réaliser.

Nancy-Nadine

Frondeuse et instable, elle commet des erreurs avec lesquelles elle doit composer. Chaleureuse, elle est attachante. On ne peut rien lui refuser.

Nicole-Line

Toute de douceur, elle est l'incarnation de la bonté humaine. Comme elle se donne beaucoup, elle n'accepte pas qu'on puisse profiter de sa gentillesse.

Nicole-Renée
Elle est inconstante et indécise, mais elle apprend de ses erreurs. Les jours se suivent et ne se ressemblent pas pour elle. C'est la même chose dans ses amours...

Noëlle-Line
Elle gagne à être connue. Petit tourbillon de vie, elle attire autour d'elle bien des curieux. Dans la foule, elle se sent à l'étroit.

Noëlle-Renée
Elle aime que tout soit à sa place. Ordonnée, elle apprécie les changements, qui rendent son univers plus vivant. Elle apprécie aussi la compétition.

Pascale-Frédérique
Née pour diriger, elle a un caractère fort doublé d'un sens aigu des relations humaines. On aime son volontarisme.

Pascale-Line
Elle n'aime pas les contraintes. Impulsive, elle dit parfois des choses qu'elle regrette. Elle fait contre mauvaise fortune bon cœur, et s'applique à devenir meilleure.

Pascale-Marie
Dans tous ses projets, elle va jusqu'au bout d'elle-même. Aussi risque-t-elle de s'absenter plus ou moins longtemps de ses proches, pourtant très importants pour elle.

Paule-Émilie
Elle n'aime pas les compromis. Toujours à l'écoute de ses proches, elle est prête à intervenir dans les moments difficiles. Les enfants sont très importants à ses yeux.

Paule-Geneviève
Elle est toujours à l'écoute de ses proches, prête à intervenir dans les moments difficiles. Elle vit au quotidien, sans trop penser aux lendemains.

Paule-Josée
Elle sait vraiment où elle s'en va. Ses projets sont bien définis. Elle innove par son imagination fertile et les moyens qu'elle se donne. Elle est aussi très directive.

Paule-Marie
Vulnérable, elle se veut tout de même déterminée à réussir. Douce, elle a du mal à composer avec les critiques et voudrait que les gens l'aiment autant qu'elle aime les gens!

Paule-Pascale
Elle a bien des ennuis avec les autorités. Elle croit ne rien devoir à personne. Elle ne veut cependant pas blesser les gens. Si cela arrivait, elle se confondrait en excuses.

Paule-Sophie
Animée d'un positivisme à toute épreuve, elle est fougueuse et bonne pour ses proches. Un brin chatouilleuse, elle a aussi de l'orgueil…

Pauline-Émilie
Elle attire vers elle les gens grâce à sa grande vitalité. Fille réservée, elle ne se rend pas toujours compte de l'importance qu'on lui accorde.

Pauline-Esther
Elle a des idées plein la tête. Elle est habitée d'une belle énergie, et son discours parfois fou plaît à ses proches.

Pauline-Julie
Inconsciemment, elle est dominante. C'est elle qu'on veut suivre. Dans l'ombre, elle agit avec calme. Sous les feux de la rampe cependant, elle se montre moins à l'aise.

Pauline-Simone
Elle gère mal ses excès de confiance et se montre parfois rancunière. Elle mène sa barque à sa manière et n'accepte pas les écarts de conduite.

Reine-Andrée
Elle a des airs un peu aristocratiques. Bien mise, elle a de belles manières qui semblent cacher un lourd secret. Peu de gens connaissent vraiment la richesse de son cœur.

Reine-Berthe
Ses possibilités sont illimitées tant elle a de l'enthousiasme. Secrète, elle ne se dévoile qu'à un petit nombre de privilégiés.

Reine-Julie
Elle est une séductrice née qui n'hésite pas à mettre des gens dans l'embarras, simplement pour le plaisir de les voir se dépêtrer! Quand on a gagné son cœur, elle se livre entièrement.

Reine-Marie
Ses petites misères sont cachées dans des tiroirs d'or. Elle donne beaucoup d'importance à l'apparence. Elle sait pourtant être humaine.

Renée-Claude
Elle est très anxieuse. Elle voudrait que tout soit parfait, mais il semble qu'il y ait toujours quelque chose qui cloche. Éternelle insatisfaite, elle recherche le beau et le grand!

Renée-France
Intelligente, elle s'informe sur tout et prend le temps pour acquérir des connaissances. Il le faut, car elle veut atteindre le sommet, et rien d'autre!

Renée-Noëlle
Elle a un fort esprit de compétition. Elle aime apporter du nouveau dans sa vie et agencer à sa manière son univers. Instable, elle réserve aussi de belles surprises à ses proches.

Renée-Rose
Elle a du talent, est belle de cœur et est capable de grandes réalisations. Son caractère lui cause quelques ennuis, car elle ne s'en laisse jamais imposer. Au contraire…

Rita-Carole
Instable, elle a du mal à trouver seule des solutions à ses problèmes. Appliquée mais distraite, elle est à la fois la pluie et le beau temps. Elle a les sentiments à fleur de peau.

Rita-Renée
Elle aime se sentir épaulée dans ce qu'elle fait. Elle veut transformer son univers, changer les façons de faire. Elle bouscule tout sur son passage, mais elle le fait avec élégance.

Rochelle-Anne
Elle garde ses distances, elle a peur d'être blessée. Agréable, elle se révèle tendre et passionnée quand on la connaît bien.

Rochelle-Marie
Elle a besoin de se sentir en sécurité, mais elle est entièrement maître de son destin. Dans l'intimité, elle est une soie, douce et chaleureuse.

Rosa-Line
Elle apprend de ses erreurs, mais elle doit auparavant faire ses propres expériences. Elle a souvent besoin de changement dans sa vie.

Rosa-Marie
Son cœur est immense. Elle voudrait faire de la place pour tous les gens qu'elle rencontre. Elle est déchirée lorsqu'elle a à faire des choix.

Rose-Aimée

Elle aime bâtir sur du solide. La famille compte beaucoup à ses yeux. Elle se donne corps et âme à ses proches.

Rose-Anna

Elle ne s'en laisse jamais imposer. Elle dit ce qu'elle a à dire, au détriment de ses opposants! Conséquente, elle se tient responsable de ses actes.

Rose-Anne

Calme et sereine, elle se remarque par une belle rigueur personnelle et professionnelle. Ne vole pas son cœur qui veut!

Rose-Line

Elle connaît le sens des responsabilités. Intègre, elle déteste les tricheurs. Elle demande beaucoup d'attention, mais sait aussi rendre service.

Rose-Lise

Quel tourbillon! Avec elle, on ne tourne pas autour du pot. Si ses idées sont bien arrêtées, c'est qu'elle a tout mis en œuvre afin de ne pas se tromper.

Rose-Marie

Elle est anxieuse face à son travail. Elle croit qu'il manque toujours un petit quelque chose pour atteindre la perfection. En amour, elle aime les petits défauts de son compagnon...

Rose-Monde
Généreuse, elle a beaucoup de charme. Tous voudraient la tenir dans ses bras, car elle est aussi vulnérabilité. Elle met beaucoup d'efforts dans sa réussite professionnelle.

Rosie-Anne
Charmante, elle a de bonnes manière et sait se rendre utile. Elle aime les rencontres inattendues et les petites attentions. Au travail, elle est minutieuse.

Roxanne-Lise
Toujours agréable, elle est appréciée dans son milieu de travail, car elle sait obtenir ce qu'elle veut tout en restant humaine. Elle aime la richesse et le confort.

Roxanne-Marie
En amour, elle cherche tant la personne idéale qu'elle croit parfois l'avoir manquée! Elle est hésitante, car elle vise la perfection à tout prix.

Roxelle-Anne
Elle déteste avoir à imposer ses idées. Elle doit cependant le faire, sinon elle se sent frustrée. Énergique, elle a des objectifs qui semblent parfois irréalistes.

Roxelle-Jeanne
Il est difficile de la découvrir totalement. Elle aime bien paraître, mais là s'arrêtent ses relations de passage. Il faut être patient avec elle.

Roxie-Anne
Elle a ses propres opinions sur la vie. Originale, elle possède un grand cœur et des talents certains pour changer la face du monde.

Roxie-Jolie
Elle trouve toujours le moyen de remonter le moral à ses proches par ses idées complètement folles.

Sabine-Juliette
Quel magnétisme elle possède! Elle incarne la joie de vivre, ce qui ne l'empêche pas d'exceller dans son domaine, au contraire.

Sabine-Laure
Elle se sert au maximum de son excellent sens de l'intuition. Elle a parfois la bougeotte!

Sabine-Marie
Elle possède un bon sens de l'analyse. Dans le règlement de conflits, elle excelle à contenter les deux parties.

Sabine-Mélanie
Elle s'exprime tellement bien. On aimerait rester des heures à ses côtés, l'écouter raconter ses plus folles aventures.

Sabine-Michaëlle
Elle semble parfois irresponsable. Elle vit de l'air du temps et se dit qu'un jour, elle fera sa niche quelque part. Pour l'instant, elle a bien le temps…

Sabine-Sophie
Elle semble toujours au bon endroit au bon moment. Chanceuse, elle doit aussi exceller afin de respecter ses engagements.

Sandra-Claude
Elle gagne à être connue. Elle semble froide au premier abord, mais elle montre une telle chaleur avec ses amis les plus intimes qu'il est difficile de ne pas l'apprécier.

Sandra-Hélène
Elle aime la beauté, admire l'innovation. Ses yeux s'illuminent devant la nature. Elle montre aussi un grand sens de l'humour.

Sandra-Marie
Elle se laisse guider par ses impressions. Elle est donc vulnérable, car elle réfléchit trop peu avant de se lancer dans une aventure.

Sandrine-Madeleine
Elle a une âme très chaleureuse. Elle n'accepte pas qu'on puisse vouloir changer son style de vie. Elle est bien comme elle est.

Sandrine-Pascale
Elle sourit à la vie, et celle-ci le lui rend bien. Curieuse, elle change souvent d'objectif, car elle a du mal à se fixer.

Sarah-Camille
Il donne beaucoup de son précieux temps et elle apprécie lorsqu'on lui rend la pareille.

Amoureuse de la vie, elle ne s'en fait pas trop avec ses petits malheurs.

Sarah-Ève
Elle a une grande force de caractère. Nul doute qu'elle sait où elle s'en va. Elle aime les gens et se dévoue pour leur bonheur.

Sarah-Fabienne
Son sourire est sa marque de commerce. Enthousiaste, elle est une bouffée d'air frais lorsqu'elle se présente quelque part. Son énergie est contagieuse.

Sarah-Jade
Elle aime recevoir des gens chez elle. Sa vie est une longue soirée animée. Elle sait aussi transposer son bien-être dans son travail, où lui reconnaît ses qualités.

Sarah-Jeanne
Elle aimerait tant que ses proches soient heureux. Son grand cœur est cependant trop petit pour supporter tous les malheurs du monde.

Sarah-Jeannette
Elle s'oublie pour les autres, mais elle choisit minutieusement ses amis. Elle ne ferait pas confiance à n'importe qui. Professionnellement, elle sait où elle s'en va.

Sarah-Laurence
Si elle a beaucoup de patience envers les autres, elle est son pire ennemi. Très exigeante envers

elle-même, elle a du mal à terminer ce qu'elle a entrepris.

Sarah-Lee
Elle est séductrice, mais elle fuit lorsque la situation devient trop sérieuse. Aventurière, elle n'a pas vraiment de port d'attache.

Sarah-Kim
Ce petit rayon de soleil transpire l'honnêteté et la patience. Elle est une confidente appréciée et garde le silence sur les secrets de ses amis. Elle est certes digne de confiance.

Sarah-Maude
Le moins qu'on puisse dire, c'est qu'elle ne tourne pas autour du pot. Si on la dérange, on le sait tout de suite. En couple, c'est elle qui mène!

Sarah-Monique
Elle n'est pas malicieuse pour deux sous. Elle déteste qu'on brise sa tranquillité. Digne de confiance, elle reçoit souvent les éloges de ses patrons.

Shelley-Anne
Un rien la tourmente. Le monde est une réalité insaisissable pour elle. Elle se pose mille et une questions, mais les réponses tardent à venir.

Sophie-Alexandra
Elle s'ennuie dans la routine. Elle aurait le goût

de voyager, de faire des folies. Elle doute de ses capacités. Bien appuyée, elle fonce dans la vie!

Sophie-Anne
Elle a une mémoire d'éléphant et est un tantinet rancunière. On ne la trompe pas deux fois! Elle s'intéresse à tant de choses qu'elle a du mal à fixer ses priorités.

Sophie-Annick
Elle vit simplement. Elle a besoin de bien peu pour être heureuse. Elle hésite devant les choix qui s'offrent à elle. Elle veut s'assurer de prendre la bonne décision.

Sophie-Jade
Son sens de l'humour est reconnu. Elle sait comment déstabiliser. Elle prend garde cependant de ne pas tomber dans ses propres pièges.

Sophie-Marie
Elle rêve à l'amour, ce qui lui occasionne des déceptions. Plutôt distante, elle peut paraître froide. Son cœur est cependant très généreux.

Suzanne-Aline
Elle prend son temps avant de s'affirmer. une fois qu'elle possède tous les éléments de sa réussite, elle se lance à la conquête du monde!

Suzanne-Élizabeth
Elle est une petite dictatrice! Exigeante, elle ne tolère pas qu'on lui cache des choses. Avec elle, on n'a pas le droit de tourner autour du pot.

Suzie-Jeanne
Elle sort rarement de l'ombre, car elle a peur de se retrouver en première ligne. Elle a quelques amis avec qui c'est à la vie, à la mort!

Suzie-Maude
Sa famille est son point de repère. Lancée dans de folles aventures, elle en oublie bien souvent son budget! Elle a un grand cœur.

Suzie-Rose
Elle connaît le sens des responsabilités et demande à ses proches une rectitude parfois difficile à suivre.

Sylvie-Hélène
Cette charmante personne adore vivre parmi la foule. Elle s'y sent en sécurité. Débordante d'énergie, elle n'a cependant pas de temps à perdre avec la bureaucratie!

Sylvie-Anne
Elle sait ce qu'elle vaut. Avec elle, il n'y a pas de fausse modestie. Parfois directe, elle ne peut être pointé du doigt par manque d'honnêteté.

Sylvie-Caroline
Elle possède un charme débordant et s'en sert plus qu'il n'en faut. Elle s'attire ainsi des ennuis.

Sylvie-Cécile
Sa bonne humeur égaie son entourage. Intelligente, elle manque parfois de ténacité pour mener à bien ses projets.

Sylvie-Julie
Elle en prend beaucoup sur ses épaules. Parfois, elle se sent incapable de s'accomplir. Elle ne doit pourtant pas se laisse aller au découragement.

Sylvie-Léonie
Peu de gens sauront qu'elle a le cœur en miettes. Émotive, elle cache ses sentiments. Elle aurait cependant avantage à s'ouvrir un peu…

Sylvie-Maude
Elle vit passionnément et sans ambages. Peu de barrière se dressent sur sa route, car les seuls obstacles qui viennent à bout d'elle sont ceux qu'elle s'impose.

Sylvie-Sophie
Du point de vue professionnel, elle se montre ambitieuse mais sans excès. La famille est très importante pour elle.

Tina-Élodie
Elle sait contourner les obstacles, mais rien ne l'écarte de ses objectifs. Elle est satisfaite de sa vie amoureuse, et le travail la comble.

Tina-Marie
Elle est déterminée, mais elle ne sait pas toujours si elle a fait le bon choix. Elle a besoin du soutien de ses proches pour avancer dans ses projets.

Tina-Martine
Elle exige de ses proches qu'ils soient justes. Elle déteste avoir à imposer sa loi. Elle le fera si elle s'y sent obligée, mais ce sera à contrecœur.

Tina-Sophie
La famille est très importante à ses yeux. Elle prend la vie comme elle vient, sans trop s'en faire pour les jours à venir. Elle met son énergie à se bâtir un nid chaleureux.

Vanessa-Kim
Elle aimerait tant être populaire! Elle doit faire ses preuves. Auprès de ses proches, elle est la reine, mais elle voit plus grand encore!

Vanessa-Mai
Elle aime les défis. Prête à se dépasser constamment, elle refoule les limites du possible par une imagination et une intelligence au-dessus de la moyenne.

Vanessa-Marie
Elle se piège elle-même et doit alors travailler d'arrache-pied pour obtenir gain de cause. Elle fait confiance aux gens, mais se rend vite compte que certains n'en valent pas la peine.

Yannique-Marie
Ses peines précèdent des joies immenses. Complexe, elle ne sait pas toujours où elle va, mais ses expériences l'enrichissent. Elle voue une belle admiration à ses proches.

Yannique-Odile
Généreuse, elle est aussi une séductrice née, prête à tout pour gagner le cœur des gens. Elle parle avec aisance, ce qui met en évidence son assurance.

Extrait du livre «Être maman, c'est si beau».
Voir page 269.

PRÉNOMS COMPOSÉS MASCULINS

Alain-André
Intéressé par toutes sortes d'objectifs, il n'accomplit que ce à quoi il tient vraiment.

Alain-Marc
Il est soulevé par le goût de l'action. Il tolère les situations jusqu'à ce qu'elles le briment dans ses objectifs. Il est un guerrier.

Alexandre-Éric
Courageux, il est un ami sincère, toujours prêt à aider ses proches dans le besoin. Il est aussi minutieux au travail.

Alexandre-Étienne
Son idéal social est très présent dans sa vie. Comme il est aussi charismatique, il réussit à attirer beaucoup de gens dans son sillon.

Alexandre-Hugo
Sérieux et réfléchi, il a un cœur beaucoup plus grand qu'il ne le laisse paraître. Il est aussi très fidèle.

Alexandre-René
Il est d'une nature charmante, calme et enjouée. Il prend son temps pour réussir à atteindre ses objectifs.

Alexis-André
Honnête et tolérant, il n'aime pas qu'on abuse de sa grande bonté. Il se donne sans compter.

Alexis-Martin
Il est introverti, mais possède un cœur grand comme le monde. Il demeure à l'écoute de ses proches.

Alfred-Joseph
D'une générosité plus qu'exemplaire, il est le père protecteur du foyer. Il tient à son indépendance, mais possède une belle sensibilité et sait montrer de la compassion.

André-Adam
Compréhensif, il n'en est pas moins un leader né. On a le goût de le suivre. Jamais il ne triche, car ce serait manquer de loyauté envers ses proches, qu'il aime tant.

Extrait du livre «Être maman, c'est si beau».
Voir page 269.

André-Arthur
À la parole, il préfère l'action. Parfois brusque, il se justifie en disant que plusieurs réussites valent bien un ou deux échecs...

André-Charles
Au travail, il en fait juste assez. Les excès ne sont pas coutume chez lui. Il préfère les contacts humains à un compte en banque bien rempli.

André-Paul
Il sait ramener les gens sur Terre. Réaliste, il en est même un peu rabat-joie. Il connaît sa valeur et sait aussi reconnaître celle des autres.

Antoine-Émilien
Le moins qu'on puisse dire, c'est qu'il est éveillé! Rien ne lui échappe. Bon travailleur, il laisse ses sentiments de côté. Il a une carapace difficile à percer.

Antoine-Sébastien
Tout semble compliqué avec lui, mais lui croit pourtant être clair dans ses paroles. Il agit la plupart du temps avec prudence.

Antonin-Marie
Il réfléchit longuement avant de passer à l'action. Il souffre d'insécurité, alors il met toutes les chances de son côté avant de se lancer dans un projet.

Arthur-Aimé

Il aime prendre des risques, car il voit grand. Il connaît ses limites et travaille afin de les repousser.

Auguste-Réal

Il accepte et subit les conséquences de ses actes. Parfois indiscret, il veut connaître les gens qui l'entourent.

Carl-André

Il aime que son travail soit bien fait. Sociable, il possède un grand cercle d'amis et de connaissances.

Carl-Éric

Il n'est pas toujours sûr de ses moyens. Pourtant, ses doutes assurent de lui un effort constant au travail. Il reste longtemps en retrait avant de s'aventurer dans la foule.

Cédric-André

Il semble avoir une vision pessimiste du monde. Ses idéaux sociaux le portent à travailler pour de bonnes causes. Il sait être attachant.

Cédric-Antoine

Il semble parfois hautain, mais ce ne sont que des apparences. Il est chaleureux mais réservé, ce qui lui évite autant d'ennuis que d'heureuses rencontres.

Cédric-Étienne

Ses intentions sont claires: il veut le bien autour de lui. Ses excès de colère visent les profiteurs, qu'il ne peut pas supporter.

Charles-Albert

Prudent et avisé, il sait toujours quoi faire dans les situations les plus périlleuses. Il est un conseiller de premier ordre.

Charles-Alexandre

Il récolte le fruit de ses efforts. Il étonne d'ailleurs, car on l'imagine mal, au départ, comme un leader. Il en a les qualités et les défauts.

Charles-Alphonse

Il consacre autant d'énergie à sa famille qu'à son travail. Il est un intellectuel qui réfléchit avant de parler et d'agir. Ainsi, il est toujours de bon conseil.

Charles-André

Fort et indépendant, il aime la grande nature et les sports. Dans les moments d'intimité, il est attentif aux besoins de la personne aimée.

Charles-Antoine

Il sait faire la part des choses. Entre ce qu'il exige de lui et ce qu'il demande aux autres, il y a une grande marge. Ainsi, on le suit plutôt qu'on le subit.

Charles-Auguste

Il s'applique avec vigueur et impose sa loi. Travailleur acharné, il déteste les incompétents. Ceux-ci ne l'accepte d'ailleurs pas longtemps...

Charles-Augustin
Ses objectifs ne visent qu'une seule chose: gagner! Il sait s'entourer de gens compétents et honnêtes.

Charles-Avila
Il reste toujours positif. Dans les moments difficiles, il préfère trouver des solutions que de se résigner. Il a une bonne capacité d'écoute.

Charles-Clément
Il est fondamentalement bon. S'il se découvre un talent, il en fait tout de suite profiter les autres. Il se donne sans compter.

Charles-David
Il est habité d'une patience difficile à user. Réservé, il se tient à l'écart des confrontations. Il aimerait bien avoir un peu plus d'argent...

Charles-Édouard
Il croit que chaque personne a un jour sa chance et qu'il doit la saisir. Lui-même accepte la vie telle qu'elle est en se disant que le meilleur reste à venir.

Charles-Élie
Doué pour les arts, il est de nature plutôt inquiète. À force d'assurer ses arrières, il oublie d'avancer.

Charles-Éric
Magnanime, il reste toujours à la disposition des gens qui ont besoin de lui. Il est un gagnant, celui qui réussit toujours malgré l'adversité.

Charles-Ernest
Il peut paraître fortuné. C'est qu'il sait mettre de l'argent de côté. Il possède une rigueur hors du commun et déteste qu'on lui mente.

Charles-Étienne
Il est doté d'une grande force de caractère. Il sait ce dont il est capable et se sert de ses talents à bon escient.

Charles-Eugène
Il a des objectifs élevés et fait ce qu'il faut pour les atteindre. D'un projet à l'autre, il se donne pour son mieux-être et celui de ses proches. Il en prend beaucoup sur ses épaules.

Charles-Eusèbe
Il ne craint pas l'effort, mais doit mieux doser ses énergies. Sa santé fragile lui apporte quelques inconvénients. Il apprend de ses erreurs.

Charles-François
Doté d'un grand sens des responsabilités, il est celui qu'on écoute. Ses propos sont réfléchis et ses actes, empreints d'une grande sagesse.

Charles-Henri
Inventif, il est de ceux qui bâtissent! Comme il a

plein de projets en tête, il lui arrive toutefois d'oublier ses obligations quotidiennes.

Charles-Joseph
Solide comme le roc, il est un pilier dans sa famille. Il aime travailler de ses mains, et la nature le fait chavirer.

Charles-Marie
Attentionné comme pas un, il lui arrive de s'oublier. Lorsqu'il prend du recul, c'est seul et dans des endroits où il sait qu'on ne le dérangera pas.

Charles-Noël
Sa vivacité d'esprit attire autour de lui bien des curieux. Il gagne en effet à être connu, mais se sent à l'étroit lorsqu'il y a trop de monde.

Charles-Olivier
Il combat les préjugés et rêve à un monde plus juste. Bon travailleur, il met à profit son imagination fertile.

Charles-Philippe
Il est fondamentalement bon, mais a du mal à refuser des offres. Il se retrouve avec une multitude de tâches à accomplir et n'a pas toujours le temps de tout faire.

Charles-Richard
On reconnaît ses grandes capacités de travail. Il connaît sa valeur, alors gare à ceux et celles qui voudraient remettre en doute ses capacités!

Claude-Gilles
Il a des idées plein la tête, chacune d'elles étant meilleure que la précédente! Il aime qu'on lui accorde de l'attention, mais lui se montre la plupart du temps assez distant.

Claude-Henri
Il est un homme de tête, un leader. Incapable d'accepter l'incompétence, il est sévère mais juste.

Claude-Mathieu
S'il semble confiant, c'est qu'il sait cacher ses émotions. Rien ne semble l'atteindre et, pourtant, il a une grande sensibilité.

Cyprien-Claude
Enthousiaste, il aime parler de sa vie et échanger à propos de tout et de rien. Sociable, il aime se retrouver parmi un groupe restreint d'amis.

Cyprien-Daniel
Il n'est jamais à court de projets, mais il se perd parfois dans ses propres labyrinthes.

David-Adam
Fougueux, il aime la nouveauté et est ambitieux à souhait. Il est rarement seul. Il aurait intérêt, pour sa santé, à prendre des moments de répit.

David-Alexandre
Il a une grande faculté de concentration. Affairé à remplir ses objectifs, il aime démontrer la

faisabilité et le réalisme de ses projets, même les plus fous.

David-Émile
Loyal, il est d'une aide précieuse pour ses proches, qui savent faire appel à ce qu'il a de meilleur à offrir.

David-Étienne
Responsable mais rêveur, il a de grandes visées sociales. La démocratie est sa valeur première.

David-Henri
Il est un bon étudiant tant qu'il peut associer ce qu'il apprend à des choses de son quotidien. Pratique, il est plein de ressources.

David-William
Il déteste perdre. Parfois, il prend des moyens douteux pour gagner. Il aurait tout avantage à se faire confiance et à apprendre de ses erreurs, ce qu'il fera le temps venu.

Denis-Benjamin
Il est né sous une bonne étoile. Il sait aussi faire sa chance. Il use de son charme à bon escient, car il pourrait très bien agir comme un arriviste, ce qu'il n'est pas.

Denis-Benoît
Il agit à son rythme, c'est-à-dire qu'il avance lentement mais sûrement dans la vie. Il aime les belles choses et s'amuse au jeu de la séduction.

Denis-Julien
Il aime la perfection. Il a le goût de la victoire et ses objectifs sont élevés. Il aime la vie et les êtres humains plus que l'argent.

Denis-Martin
Il se fait vivre beaucoup de pression, car il adore les défis. Les pays lointains l'attirent, et il ne reste jamais très longtemps au même endroit.

Denis-Patrick
Il a de grands objectifs, mais trop d'obstacles s'opposent à lui. Il aime la tranquillité de son foyer et ne veut pas tout perdre dans des aventures qui ne lui conviendront peut-être pas.

Denis-Stéphane
Il apprécie les interrelations entre les gens, à qui il apporte autant de réconfort qu'il en demande. C'est un fonceur qui voit très grand.

Donald-Antoine
Il est courageux et sait intervenir au bon moment dans une discussion. Bon médiateur, il est attentif aux demandes des autres et agit efficacement grâce à son bon jugement.

Donald-Henri
Il préfère rire de ses malheurs. Il se dit qu'il aura de nouvelles occasions de se faire valoir. Il aime rencontrer des gens, mais se garde toujours des moments de solitude.

Donald-Marcel
Il fait ses propres expériences, ce qui a fait frémir ses proches! Véritable tourbillon, il se joue des contraintes et vit selon ses principes.

Donald-Stéphane
Il voit la vie d'un très bon œil. Il comble sa timidité en rencontrant le plus de gens possible. Il est rempli de bonnes intentions.

Edmond-Antoine
Il avance lorsqu'il est certain de réussir. La vie lui ouvre cependant bien des portes, et il sait saisir les occasions.

Edmond-Jacques
Il est un négociateur de premier plan. Rationnel, il ne laisse pas ses émotions prendre le dessus et remplit bien ses responsabilités.

Edmond-Marie
Ses idées sont souvent confuses, car il ne prend pas le temps de bien s'informer avant de parler. C'est un instinctif qui met énormément d'énergie à vaincre ses démons intérieurs.

Edmond-Serge
Il semble toujours au-dessus de ses affaires, qui vont très bien d'ailleurs. Il sait travailler avec acharnement et mettre ses problèmes de côté lorsqu'il se retrouve auprès des siens.

Édouard-Charles

Il est toujours de bon conseil. Il ne cherche certes pas les honneurs, car il se contente de peu. L'amour de ses proches le comble.

Émile-Albert

Il montre un sérieux à toute épreuve. Il aime les projets à long terme, pour lesquels il peut se donner entièrement.

Émile-Gaston

Il a beaucoup d'humour, mais ses blagues cachent une gêne qu'il combat difficilement. Il a bon cœur, mais il doit aussi apprendre à s'affirmer.

Émile-Henri

Il sait détecter les menteurs. Il a trop à faire pour leur accorder de l'attention. Parmi les siens, il agit efficacement mais sans bruit.

Émile-Hervé

Il adore jouer des tours. C'est un farceur invétéré, mais il sait aussi être sérieux.

Émile-Hugo

S'engage à fond dans tout ce qu'il entreprend, mais en arrache lorsque vient le temps de combler les exigences de tous et chacun. Sa vie n'est certes pas un formulaire!

Émile-Jacques

Il déteste la défaite. Il a peur de perdre l'appui de ses proches s'il les déçoit. C'est pourquoi il redouble d'ardeur dans l'adversité.

Émile-Jean
Cet homme de tête a des projets plein la tête, mais il peine à les faire progresser. Il refuse de se retrouver dans l'ombre.

Éric-Gilles
Il prend beaucoup de choses à cœur. Comme il ne peut tout faire, il doit délaisser, à regret, certaines activités.

Éric-Jacques
Il est ambitieux, mais il a aussi un grand cœur. Il est toujours prêt à aider un ami qui demande son aide.

Éric-Joël
Il est très émotif et a tendance à prendre beaucoup de choses sur ses épaules. Il ne dose pas toujours ses énergies.

Éric-Michel
Toujours prêt à donner un coup de main, il se donne sans compter, jusqu'à ce qu'un autre ami ait besoin de lui. Il a du mal à faire des choix.

Éric-Paul
Rêveur, il a besoin qu'on lui dise de revenir sur Terre. En amour, il vogue d'un nuage à l'autre, croyant chaque fois avoir trouvé la perle rare.

Éric-Pierre
Perfectionniste, il mène plusieurs projets de front, ce qui peut causer une baisse dans la qua-

lité de ses différents travaux. Il est un grand travailleur.

Étienne-Jacob
Il ne mêle jamais la passion et la raison. Il est un être sûr, fiable et méticuleux, peut-être un peu trop terre à terre.

Étienne-Michel
Il aime apprendre. Il apprécie les différentes cultures et se donne passionnément à son travail. Sa vie personnelle reste privée.

Étienne-Pascal
Il aime recevoir le crédit pour ses réalisations. Il est fier et sûr de ses moyens. L'amour tarde à se présenter à lui.

Étienne-Raymond
Il a besoin de changer la routine, de connaître du nouveau, de relever des défis. Il n'a pas peur du changement.

Étienne-Simon
Il apprend à la dure, mais hésite toujours à dire non. Son sens de l'amitié fait de lui un être très important aux yeux de ses proches.

Eugène-Réal
Il aime gagner et prend les moyens pour y arriver. On le respecte, car il parle bien et s'exprime clairement.

Félix-Alonzo
Sa vie personnelle reste privée. Il n'accepte pas les questions indiscrètes. Seuls ses amis les plus intimes connaissent quelques bribes de son trésor interne, car il a un grand cœur.

Félix-Antoine
Grand penseur, il semble absorbé par ses lectures et par ses idées. Le monde est imparfait, et lui pense bien être capable de l'améliorer.

Félix-Gabriel
Il sait se faire une opinion juste et réfléchie. Les études et la planification financière n'ont pas de secret pour lui. Il a tendance à se perdre lorsqu'il croise l'amour.

Félix-Robin
Il obtient toujours ce qu'il désire. Il a toujours une bonne idée en tête, et ses qualités de leader ne sont pas à faire.

François-Albert
Il est le chef, celui sur qui on peut compter. Dans les moments difficiles, il serait prêt à aider même son pire ennemi. Il est généreux, mais paraît froid en certaines occasions.

François-Alexandre
Son idéal social prend beaucoup de place dans sa vie. Il a du charisme et il réussit à engager des personnes habilitées à mener à bien ses projets.

François-Alexis
Il ne se dévoile pas facilement. Il a un grand cœur et reste à l'écoute de ses proches, mais il se sent mal à l'aise d'avoir à confier ses problèmes. Il est un travailleur honnête et fiable.

François-Charles
Il accorde beaucoup d'attention à ses proches. Il lui arrive même de s'oublier parfois. Actif et sportif, il aime le calme et la solitude des lacs et des forêts.

François-Édouard
Il reste toujours très positif. L'échec n'est certainement pas une fin pour lui. Il retrousse alors ses manches et se lance dans de nouveaux projets.

François-Eugène
Il est bien difficile à suivre, car il change souvent d'idée. Tantôt terre à terre, tantôt absorbé dans ses pensées, il reste un compagnon inventif et plein d'énergie.

François-Gilbert
Il a de la patience à revendre. Il accomplit ses tâches avec minutie et ne songerait jamais à remettre un document incomplet. Il veut que tout soit parfait autour de lui.

François-Marc
Il est bouillant de vie! D'une droiture extrême, il n'accepte pas l'hypocrisie. Il ne passe pas par quatre chemins pour dire ce qu'il a sur le cœur.

François-Marie
S'il a le contrôle de la situation, tout va bien. Toutefois, il se sent mal à l'aise avec les difficultés de ses proches. Fier et responsable, il ne supporte pas les faibles.

François-Simon
Il a de la prestance, mais a aussi besoin de se sentir apprécié. Toujours efficace, il supporte bien la pression, tant qu'on lui accorde quelques bénéfices pour ses résultats!

François-Stéphane
Impétueux, il se révèle doux comme un agneau en présence d'enfants. Les affaires sont les affaires, et son monde professionnel est sérieux.

François-Xavier
Il est un être dominant. En coulisses, c'est lui qui tient le véritable pouvoir. Il est intègre et sait reconnaître les menteurs.

Frédéric-Hector
Il est d'une polyvalence remarquable. Autonome, il respecte l'autorité tout en faisant montre de sa grande imagination.

Georges-Adélard
La bonté de son cœur et de son âme lui assurent beaucoup de respect. On ne triche pas quelqu'un qui veut autant de bien à ses pairs.

Georges-André
Il aime connaître les gens et ne les juge jamais. Il aime les contacts sociaux et les soirées entre amis. Le travail n'est qu'une nécessité pour lui.

Georges-Arthur
Il aime le travail fait en silence. Il se tient donc loin des manufactures et des chaînes de montage! Il n'a pas un grand sens de l'humour, mais il aime rire et s'amuser.

Georges-Edmond
Il est doué pour travailler de ses mains, mais il préfère vivre de ses capacités intellectuelles. Direct et sarcastique, il inquiète parfois. On se demande ce qui se cache dans sa tête…

Georges-Édouard
Il est toujours de bon conseil pour qui en a besoin. Il ne cherche certes pas les honneurs. D'être entouré de ses proches lui suffit.

Georges-Élie
Le pouvoir de l'argent le répugne! Il est responsable et en demande autant aux autres. Exigeant, il ne tolère pas les manigances déloyales.

Georges-Étienne
Il est polyvalent, mais préfère travailler pour lui-même. Autrement, le stress le rattraperait.

Georges-Henri
Il sait commander le respect, car il travaille honnêtement. Il a aussi un grand cœur et des qua-

lités humaines qui en font un être cher aux yeux de plusieurs.

Georges-Isidore
Il sait tourner la page. Le passé reste le passé. Ses décisions, il les a prises pour le meilleur, alors pourquoi revenir en arrière? Sa dévotion pour les autres n'a pas de limite.

Georges-Octave
Il met tant d'énergie à réussir qu'il ne peut supporter l'échec. Dans la vie de tous les jours, il est un être amusant, jovial et attachant.

Ghislain-Benoît
Sa vie le comble à plusieurs égards. Il sait apprécier les moments de joie parmi la tempête. Quelque peu nonchalant au travail, il préfère garder ses énergies pour sa vie de famille.

Ghislain-Henri
Passionné, il cherche avant tout le bonheur de ses proches. Il sait remplir ses obligations, mais n'y consacre que l'énergie nécessaire.

Gilles-André

Rebelle mais plein de bonne intentions, il fait sa place à sa manière. Il n'a que faire des conseils, car il se croit en possession de tous ses moyens. La sagesse s'acquiert lentement…

Gilles-François

Il semble très solide, mais son goût du risque camoufle ses inquiétudes. Quand il a besoin de changement, il n'est plus autant à son affaire. En famille, les obligations le contrarient.

Gilles-Omer

Il aime vivre au jour le jour, mais les lendemains sont parfois difficiles… Au travail, une fois un de ses objectifs accomplis, il passe à autre chose.

Gilles-Philippe

Il a des passions secrètes. Introverti, il se garde d'en parler de peur d'être jugé. Il aime se retrouver parmi la foule, où il se sent libre de ses gestes.

Guillaume-Alain

Fervent amateur d'insolite, il possède une grande culture. Il est cependant inégal dans ses humeurs.

Guillaume-Antoine

Il veut qu'on le remarque, mais il ne s'y prend pas toujours habilement. Pourtant, pour se faire justice, il n'a qu'à être lui-même. On l'aime comme ça.

Guillaume-Étienne
Bon travailleur, il préfère la sécurité d'un emploi stable même s'il a les capacités de devenir son propre patron.

Guillaume-Julien
Il rejette trop souvent l'opinion des autres. Égocentrique, il met son énergie à montrer comment on peut réussir sa vie. Il est conséquent avec lui-même.

Guy-Julien
Épris d'amour et de justice, il passe sa vie à régler les problèmes des autres. Il agit avec calme et sait prendre du recul lorsque cela s'avère nécessaire.

Guy-Raymond
Il aime la culture et l'amour. Attentionné, il aime prodiguer des soins. Il n'apprécie cependant pas être pressé dans ses tâches.

Hector-Louis
Au travail, il sait appuyer ses collègues afin que tous œuvrent dans le même sens. C'est un leader silencieux et un ami sincère.

Henri-Charles
Fondamentalement bon, il fait profiter les autres de ses nombreux talents. Sa vie n'aurait pas de sens s'il ne se donnait pas autant.

Henri-Édouard

Grand voyageur de l'imaginaire, il se contente de peu pour être heureux. Il aime remonter le moral de ses proches, à qui il tient tant.

Henri-Félix

Les contraintes l'horripilent, car il aime sortir des sentiers battus, découvrir de nouveaux horizons. Il aime s'amuser et voir le monde autrement que dans un cadre économique.

Henri-Marc

Il a un cœur grand comme le monde. Ce passionné fait tout en son pouvoir pour aider ses proches. Il en oublie même parfois ses propres obligations.

Henri-Nicolas

Sa vie amoureuse va comme ci comme ça. Il s'y est pourtant embarqué avec espoir et plein de bonnes intentions. Il ne semble pas toujours très bien préparé aux moments difficiles.

Henri-Normand

Il met beaucoup d'énergie à devenir ce qu'il veut être. Autoritaire, il ne se sert de sa capacité de persuasion que lorsque la situation semble lui échapper.

Henri-Paul

Au travail, il est un excellent lieutenant. Éparpillé dans ses idées, il ne saurait être un vrai chef, mais il est un ami sincère qui ne refuse rien.

Henri-Pascal
Il sait appuyer les initiatives de ses collègues de travail. Silencieux, il ne fait du bruit que lorsque la situation l'exige. Sinon, il reste calme et réservé.

Henri-René
Constamment à la recherche de la nouveauté, il sait se faire plaisir. Sa vie sociale le comble, car il a dans son cercle d'amis des gens provenant de tous les horizons.

Henri-Thomas
Il sait apprécier la vie telle qu'elle se présente. Sûr de ses moyens, il se donne à son travail et à ses proches.

Hervé-Gilles
Le travail n'est pas pour lui une fin en soi. Il peut paraître nonchalant si ce qu'il fait l'empêche de se réaliser pleinement. Il garde ses énergies pour ses proches.

Hervé-Jacques
Il n'aime pas qu'on décide à sa place. Il est entêté dans ce qu'il fait et il prend la responsabilité de ses actes, même les plus insensés.

Hervé-Jacob
Il incarne la force de l'homme dans toute sa splendeur. Son orgueil lui cause toutefois certains ennuis, car il ne peut admettre ses torts.

Hervé-Robert
Sa vie le rend nostalgique. Il repense à ce qu'il aurait pu vivre. Il doit se concentrer sur le présent. Il est plein d'attention pour ses proches.

Hervé-Simon
Il est un peu «soupe au lait»! Poète à ses heures, il laisse sa colère l'emporter sur son jugement. Il est préoccupé par l'amour et croit qu'il manque quelque chose à son bonheur.

Hervé-Thomas
Il s'inquiète pour ses proches. Autonome, il aime la proximité de la foule. Il sait étudier les situations afin d'en tirer le maximum, autant en affaires qu'en amour!

Ian-Frédéric
Il réussit bien professionnellement, malgré une grande timidité. Il aime être entouré de gens, mais ne prend pas souvent la parole. Quand il s'affirme, on l'écoute!

Ian-Michel
La famille reste son principal port d'attache. Avec ses proches, il est aimable et serviable. Au travail cependant, sa patience a des limites.

Ian-Patrick
Il ne veut pas se casser la tête. Rêveur, il semble toujours avoir l'idée qui le propulsera jusqu'aux sommets de l'univers! Il doit cependant faire face à la réalité…

Jacques-André
Il possède beaucoup d'énergie pour le travail. Il a les capacités pour atteindre ses objectifs les plus élevés.

Jacques-Antoine
Il a un grand sens de l'écoute, ce qui lui permet d'apprendre exactement qui sont ses amis et ses ennemis. Quand il parle, c'est en connaissance de cause.

Jacques-Claude
S'il est d'humeur instable, c'est qu'il a du mal à bien doser sa sensibilité. Il a besoin de s'évader du quotidien pour faire le point.

Jacques-Henri
Il n'aime pas les grands parleurs. Le code d'éthique qu'il s'est lui-même construit le limite dans ses actions.

Jacques-Philippe
Il n'aime pas que quelqu'un d'autre décide à sa place. S'il décide de rouler à 150 km/h, il dira que c'est bien son problème...

Jacques-Pierre
Il a besoin de se sentir à l'aise chez lui. De cette façon, il se sent en mesure de venir en aide à des proches qui auraient eu moins de chance que lui.

Jacques-Yvan
Enjoué, il n'a pas son égal dans les soirées mouvementées. Parmi la foule, il rayonne. En solitaire, toutefois, il s'ennuie un peu.

Jacques-Yves
Il agit selon ses propres principes. Ceux-ci sont souvent bons, mais il les impose un peu trop au goût de certains.

Jean-Antoine
Il se laisse influencer trop facilement. Parce qu'il est pris dans trop de projets à la fois, il lui arrive de ne pas terminer ce qu'il entreprend.

Jean-Antonin
L'amour tient une très grande place dans sa vie. Il parle bien, mais ses propos laissent souvent place à interprétation. On se demande alors ce qu'il a bien pu vouloir dire...

Jean-Avila
On doit lui pousser un peu dans le dos pour qu'il avance. Il manque un peu d'entrain, probablement parce qu'il s'épuise à force de garder pour lui les confidences de ses proches.

Jean-Alain
Il semble souvent confus et exténué. C'est qu'il met énormément d'énergie à vaincre ses propres démons.

Jean-Alexandre
Il agit tel un ouragan. Il dévaste tout sur son passage pour mieux rebâtir. Il s'attire ainsi les foudres de plusieurs, mais n'a pas peur de faire face à la musique.

Jean-Alexis
Il déteste l'idée qu'on puisse abuser de sa bonté. Il se donne volontiers, et attend un juste retour des choses. Ses intentions sont bonnes, mais les perceptions, parfois étonnantes…

Jean-Armand
Il parle beaucoup et se retrouve, parfois malgré lui, sous les feux de la rampe. S'il ne recherche pas les honneurs, il les accepte bien, car il a besoin d'être rassuré.

Jean-Aubert
Il se laisse influencer, mais il sait faire la part des choses. Un projet à la fois lui suffit, car il lui faut toutes ses énergies pour le mener à bien.

Jean-Baptiste
Introverti, il possède un monde secret fabuleux qu'il réserve à une minorité d'élus. Son cœur n'est pas facile à atteindre.

Jean-Benoît
Il incarne un sentiment de plénitude admirable. Le stress ne fait certes pas partie de sa vie, même qu'on le croit parfois, à tort, nonchalant.

Jean-Bernard
Il n'a pas peur des défis professionnels. En amour, c'est autre chose. Les mots ne lui viennent pas facilement.

Jean-Bruno
Il est comme le vent, c'est-à-dire qu'il change continuellement de direction! Il aime la nouveauté, faire changement.

Jean-Cédric
Il défend ses idées avec fougue, au point qu'il se surprend parfois lui-même. Il tient à ses idées. Il est un batailleur pour qui le combat n'est pas terminé avant le son de la cloche.

Jean-Charles
Il est habité d'une belle joie de vivre. Il est brillant. Ses idées favorisent souvent les autres, mais ceux qui en profitent lui seront toujours reconnaissants.

Jean-Christian
Il déteste se sentir manipulé. Intelligent, il sait comment se sortir d'impasse. Il a les tricheurs en horeur.

Jean-Christophe
Introverti, il a des passions qui le comblent de bonheur. Il doit cependant les jumeler avec ses obligations, ce qui le contrarie.

Jean-Claude
Profondément humain, il cherche un moyen de rendre les gens heureux autour de lui. Il est aussi perfectionniste.

Jean-Damien
Il est continuellement en phase de stabilisation. Il a du mal à rester en place, mais les changements lui apportent bien des déceptions.

Jean-Daniel
Solitaire, il aime malgré tout se sentir apprécié. Il vit en retrait ses moments d'angoisse, car il ne veut pas faire subir ses problèmes aux autres. Il aime la vie à deux.

Jean-David
Il agit selon sa conscience, qui le tient loin des dangers. Il se plaît dans un cadre réglementé, où il n'a pas à toujours faire la preuve de sa valeur. À ce jeu, il s'épuise.

Jean-Denis
Il aime la vie. Heureux de son sort, il ne s'y résigne pourtant pas. Il cherche chez ses proches des gens qui vibrent aussi fort que lui.

Jean-Dominic
Il est sûr de lui, peut-être même un peu trop. Il attire à lui les gens qui désirent se confier, car il est jovial et semble ne jamais avoir d'ennuis. Les apparences sont trompeuses…

Jean-Éric
S'il semble parfois fatigué, il a aussi toujours un peu d'énergie en banque! Au travail, il ne craint pas les heures supplémentaires. Il est très exigeant envers lui-même.

Jean-Fabien
Son sourire est un peu comme sa marque de commerce. Son énergie est contagieuse. Enthousiaste, il apporte une bouffée d'air frais lorsqu'il entre quelque part.

Jean-Félix
Il n'ouvre pas son cœur à n'importe qui. Ainsi, il n'a pas à guérir de blessures émotives. Sa stabilité fait de lui un travailleur apprécié.

Jean-Francis
Il est habitué à son train-train quotidien. Les changements l'indisposent. Il est heureux dans la stabilité, autant professionnelle qu'amoureuse.

Jean-François
Fier et sûr de ses moyens, il est l'homme des grandes décisions. Curieusement, les opinions des autres rencontrent rarement les siennes...

Jean-Frédéric
Sa nervosité n'a d'égal que sa grande capacité d'adaptation. Il est inquiet, mais sait toujours se sortir d'embarras.

Jean-Gabriel
Les gens l'aiment parce qu'il sait se présenter. Il a de bonnes manières et un excellent jugement, dont il se sert afin d'améliorer son sort et celui de ses proches.

Jean-Gaétan
Il a un besoin viscéral d'être entouré de gens. Dans les activités sociales, il rayonne d'aise.

Jean-Gilles
Son goût du risque camoufle ses inquiétudes. Il a besoin de changement. Une fois un de ses objectifs accomplis, il passe à autre chose.

Jean-Guillaume
Il fuit la solitude comme la peste. Il sent que quelqu'un a besoin de son aide. Il se veut un père, un protecteur, mais ce rôle ne convient pas à tous...

Jean-Guy
Sa famille est son nid. Il aime se sentir en sécurité et apporter de la stabilité à ses proches. Les enfants sont pour lui une grande source de joie.

Jean-Hugo
Il aime les endroits animés. Il sent alors la vie se promener en lui. Il transmet cette belle énergie aux gens qu'il apprécie.

Jean-Jacques
Il est un négociateur de premier plan. Il ne laisse pas ses émotions prendre le dessus sur son côté rationnel.

Jean-Jules
Il possède un sens de l'humour bien particulier. Il aime se retrouver dans des situations cocasses, où il peut se faire valoir aisément.

Jean-Laurent
Il a de bonnes intentions, mes ses émotions le placent parfois dans de fâcheuses positions. Il doit souvent réparer les pots cassés.

Jean-Lorin
Sa patience a des limites. Il aime rendre service, mais il ne faut pas abuser de sa bonne volonté.

Jean-Lou
Doté d'un bon sens de l'humour, il aime que les gens se sentent bien autour de lui. Chez lui, tout est toujours bien rangé.

Jean-Louis
Toujours stable, il reste d'une grande neutralité dans les conflits. Il n'a certes pas besoin de se battre pour montrer sa valeur.

Jean-Loup
Il recèle un grand mystère en lui. Il aime l'évasion, le risque et l'aventure. Les contraintes l'ennuient au plus haut point.

Jean-Luc
D'humeur instable, il tend parfois à vivre reclus chez lui, parfois à sortir tous les soirs jusqu'aux petites heures du matin.

Jean-Marc
D'un caractère bouillant mais prévisible, il est d'une droiture extrême. Il n'accepte pas l'hypocrisie et dit ce qu'il a à dire.

Jean-Marie
D'une intelligence très vive, il ne sait pas toujours comment s'en servir. Tout lui plaît et l'intéresse. Il est l'homme des idées, des défis et de l'amour.

Jean-Martin
Il aime les choses simples. La nature l'attire, car il y retrouve la tranquillité et le romantisme qui lui sont chers.

Jean-Mathieu
Bourreau de travail, il s'investit corps et âme dans ses tâches. Il aimerait jouir un peu plus de

la vie, mais il est très attaché à son chèque de paie.

Jean-Maurice
D'un calme désarmant, il est un pilier, autant dans son travail qu'à la maison. Il se donne complètement aux bonnes causes.

Jean-Maxime
Il mène seul sa barque. Il est d'autant plus difficile d'entrer dans son univers qu'il est très inquiet à l'idée qu'on puisse le modifier.

Jean-Michel
Il a une grande confiance en ses moyens, parfois trop! Quelque peu malhabile, il peut avoir l'air d'un être suffisant. Pourtant, il n'en est rien.

Jean-Nicolas
Les aléas de sa vie amoureuse sont nombreux. Il a du mal à vivre dans l'instabilité. Il doit se faire confiance et apprendre à s'apprécier.

Jean-Noël
Il aime vivre dans un environnement agréable, calme et beau. Il aime aussi les activités sportives, qui lui permettent de s'affirmer.

Jean-Normand
Il a des objectifs précis et veut se réaliser dans son travail. Il est autoritaire, car il n'accepte pas qu'un de ses collègues se traîne les pieds.

Jean-Olivier
Son jugement, qu'il croit sûr, lui fait parfois défaut. Il est pourtant impulsif et difficile d'approche, car il peut changer de cap à tout moment.

Jean-Pascal
Il est tourmenté par la beauté humaine. Cela peut lui causer certains ennuis sur son lieu de travail, car il a du mal à dissocier ses activités professionnelles et personnelles.

Jean-Patrick
Il a une façon bien personnelle d'aborder les gens. Direct et un peu brusque, il aime que tout soit prévu, les moments intimes comme les rencontre entre amis.

Jean-Patrice
Très critique, il met beaucoup d'énergie dans son travail. Intelligent, il devrait prendre garde de ne pas se faire trop d'ennemis par sa façon d'aborder les gens.

Jean-Paul
Il incarne une belle sagesse de cœur et d'esprit. Il reste solide dans l'adversité et garde ses meilleurs conseils à ses proches.

Jean-Philippe
Il ne cache pas son penchant pour la beauté féminine. Sociable, il en oublie parfois ses obligations mais, comme il est charmant, on lui pardonne facilement.

Jean-Pierre

Sympathique comme pas un, il ne juge jamais les gens. Intelligent, il possède aussi un grand sens de l'humour.

Jean-Raymond

Il possède une belle générosité de cœur. Il sait par ailleurs se montrer intransigeant envers les gens qui ont abusé de sa bonne volonté.

Jean-Rémi

Il n'aime pas la confrontation, mais son manque de tact l'amène souvent sur des terrains glissants. Il travaille bien seul, mais préfère se retrouver entre amis, le soir venu.

Jean-René

Il est affable et plein de bonnes intentions. Quelque peu brouillon, il s'égare dans ses pensées. Il a besoin d'un supérieur exigeant qui lui enseignera à bien travailler.

Jean-Richard

Il n'est pas à une contradiction près! Grâce à son charme, il se tire de biens des embarras mais, un jour ou l'autre, il aura à faire face à lui-même.

Jean-Robert

Il est un intellectuel né. Toutefois, il n'est sûrement pas détaché de la réalité. Il est juste et ses remarques sont empreintes de jugement.

Jean-Roger

La famille lui demande beaucoup d'énergie. S'il réussit à rencontrer malgré tout ses engagements, c'est qu'il est sincère et attentionné.

Jean-Samuel

Il assume toujours ses responsabilités, même lorsqu'il a pris trop d'engagements. En effet, il arrive mal à refuser quoi que ce soit. Il doit connaître ses priorités.

Jean-Sébastien

Doué pour les sports, il a aussi de belles qualités humaines. Il veut être sous les feux de la rampe.

Jean-Simon

Il possède l'âme du poète, mais son fini laisse à désirer. Son univers est incomplet, car il ne peut terminer ce qu'il commence. Il a plein de projets en plan. L'amour le préoccupe.

Jean-Stéphane

Il n'est pas toujours à ses affaires, ce qui fait qu'il passe beaucoup trop de temps au bureau. Il a besoin d'être bien appuyé. Ainsi, il saura mettre en valeur ses plus belles qualités.

Jean-Sylvain

Il bouge constamment et refuse de s'arrêter. Qui l'aime le suive dans ses folles expéditions. Heureux lorsqu'il est en mouvement, il se sent à l'étroit dans un cadre rigide.

Jean-Thomas
Il n'est pas fait pour vivre seul. Entouré de ses meilleurs amis, il refait le monde à sa guise. Il n'a certes pas peur de ses adversaires.

Jean-Ulric
Il est très attachant par son humour et ses belles manières. Il semble que rien ne soit à son épreuve puisqu'il possède une grande force physique et morale.

Jean-Victor
Il vit intensément l'instant présent, comme si ce devait être le dernier jour de sa vie. Il est sociable et croit en l'être humain. Son cœur est plein d'amour.

Jean-Yves
Il n'y a pas de place pour les «flancs mous»! Il exige beaucoup de lui-même et des autres.

Jérémie-Charles
Il adore aller au-delà des conventions. Il est un homme du monde, de la Terre entière. Il est prêt à aller là où personne n'a mis les pieds. L'exil ne lui fait certes pas peur.

Jérémie-Pierre
Ce qu'il a acquis à la sueur de son front, il ne le cède pas aisément. Il est perfectionniste à l'égard de son travail mais aussi de ses proches.

Jérémie-Victor
Avec lui, les affaires sont les affaires! Il n'y a pas de place pour les sentiments. Il se montre toutefois très humain à l'extérieur du bureau.

Joachim-Charles
On ne s'attend pas à des élans de folie de sa part mais, pourtant, il aime s'amuser. Émotif, il aimerait pouvoir se confier. Il a du mal à trouver des gens en qui il a pleinement confiance.

Jocelyn-Louis
Il se laisse attendrir facilement. Il est à l'écoute des autres, mais se garde une bonne place pour ses propres réalisations. Il réussit à merveille.

Jocelyn-Serge
Il a de beaux talents manuels. Sa vie est remplie de bons sentiments, qu'il partage avec ses proches. Il aime l'argent et le confort.

Extrait du livre «Être maman, c'est si beau».
Voir page 269.

Jocelyn-Patrick
Il a le goût de faire de grandes choses, mais il a besoin d'être rassuré. Tranquillement, il fait son petit bonhomme de chemin.

Joseph-Adélard
Il respecte les traditions et croit profondément que la vie vaut la peine d'être vécue. Il ne s'attache pas facilement, mais reste fidèle lorsqu'il a trouvé la perle rare.

Joseph-Aimé
Il aime bâtir sur du solide. La famille compte beaucoup à ses yeux, et il veut lui rendre ce qu'elle lui a donné.

Joseph-Albert
Il est le chef, celui sur qui on peut compter autant dans la vie de tous les jours que dans les moments difficiles. Il est stable et est prêt à aider en tout temps.

Joseph-Alphonse
Il est bien attaché à son passé. Il n'est certes pas nostalgiques, mais il accorde beaucoup d'importance à l'histoire, à petite et grande échelles.

Joseph-Alfred
Il aime rire, raconter des histoires, bref, il adore s'amuser et amuser les autres. Il prend beaucoup de place, mais n'impose jamais sa présence.

Joseph-Alexandre
Il aime le travail bien fait, mais il doit souvent faire appel à l'aide pour terminer ce qu'il a entrepris. Il aime le luxe.

Joseph-Alexis
Il est d'une complète fidélité, autant en amour qu'en amitié. Il respecte les gens, reste calme dans l'adversité et sait apprendre de ses erreurs.

Joseph-Antoine
Lorsqu'il agit, c'est qu'il a terminé une longue période de réflexion. À ce moment, il devient un bagarreur et il remporte bien des victoires.

Joseph-Antonin
La patience n'est pas son fort, mais il sait se dominer. Avec du recul, il voit s'il a commis des erreurs. Il ne fait pas la même deux fois…

Joseph-Armand
Sa patience l'honore, car il est toujours prêt à rendre service. L'argent n'a pas d'autre valeur que celle de lui permettre de bien vivre.

Joseph-Bruno
Il aime beaucoup rendre service, mais il s'éloigne parfois loin de ses proches. L'aventure l'appelle, et il lui répond bien.

Joseph-Damèse
Il croit, à tort, que ses moyens sont limités. Il doit se faire confiance, car en lui existe rien de moins qu'un géant!

Joseph-Edmond

Il avance dans la vie en attendant que celle-ci lui ouvre des portes. C'est souvent ce qui arrive, puisqu'il accepte ce qui se présente à lui. Il ne déteste pas les expériences.

Joseph-Édouard

Pour lui, l'échec n'est qu'une mauvaise période à passer avant le succès. Positif, il ne peut croire que les gens sont nés pour des petits pains.

Joseph-Émery

Sa porte est toujours ouverte. Ses proches savent qu'ils seront bien accueillis. Il aime bien l'improvisation, qui fait vivre les plus belles expériences.

Joseph-Émile

Il ne garde pas de secrets pour ses proches. Ses véritables amis sont peut-être peu nombreux, mais il entretient bien l'amitié qui les lient.

Joseph-Ernest

Il a confiance en l'avenir, ce qui commence dans sa propre famille. Il veut inculquer ses solides valeurs aux plus jeunes. Honnête, il accepte les contraintes et les responsabilités.

Joseph-Félix

Il est intelligent et possède un bon jugement. Il se lance dans bien des aventures, mais il a d'abord pesé le pour et le contre. On aime son volontarisme.

Joseph-François
Il est un véritable pilier pour sa famille. Il est celui qu'on désigne comme le maître à penser. Il est à son mieux avec les enfants.

Joseph-Guillaume
Il a les sentiments à fleur de peau. Il veut qu'on le remarque, mais il oublie parfois de rester lui-même. C'est comme ça qu'on le préfère.

Joseph-Grégoire
Il voudrait être celui qui mène, le leader. Toutefois, son impulsivité gâche ses meilleures intentions. Il doit apprendre la patience.

Joseph-Henri
Il aime se retirer afin de mieux réfléchir. Il évite ainsi de laisser libre cours à ses impulsions, qui seraient très mal reçues.

Joseph-Hercule
Son prénom possède des siècles de puissance, qu'il doit maintenant doser. Il se sent bien guidé dans la vie par sa bonne étoile. Ses intentions sont excellentes.

Joseph-Hugues
Il sait prendre son temps et agir avec calme. Heureusement d'ailleurs, car il s'engage dans tellement de projets qu'il pourrait facilement négliger ses meilleurs alliés.

Joseph-Isidore

Il aime tant travailler. Autrement, il se sent inutile. Il a les pieds bien ancrés au sol et agit avec le sérieux qu'on lui reconnaît.

Joseph-Marie

Il se pose mille et une questions sur la valeur de l'existence. Toutefois, il en ressort toujours avec une nouvelle bonne raison d'espérer, de croire en la vie.

Joseph-Noël

Il garde ses problèmes professionnels au bureau. Ses proches et sa famille n'ont pas à payer pour cela. Il a de solides valeurs et tente de les inculquer à ses enfants.

Joseph-Olivier

Il a le parfait contrôle de ses émotions. Il accepte ses responsabilités sans rechigner et garde son énergie pour sa vie amoureuse.

Joseph-Oscar

Il est très touché par la misère humaine. Il veut que ses proches vivent pleinement leur vie. Il s'oublie pour les autres et est très attaché à sa famille.

Joseph-Ubald

Terre à terre, il s'accomplit chaque jour et ne remet jamais à plus tard ce qu'il peut faire dès maintenant. Il a confiance en la vie, et les enfants représentent son rayon de soleil.

Julien-Marie
Il est un vainqueur tranquille, en ce sens qu'il n'écrase personne pour se retrouver au sommet. Ses seules qualités d'homme lui confèrent un statut particulier.

Jules-Émile
Il a le courage nécessaire à son statut de chef. Il sait intervenir au bon moment dans une discussion, et ses idées reçoivent toujours l'attention nécessaire à leur réalisation.

Justin-Adam
Il a parfois du mal à faire la distinction entre ses rêves et la réalité. Quand il parle, tout semble bien amorcé, mais il a besoin d'appuis pour se réaliser pleinement.

Justin-Henri
Il adore les petits plaisir de la vie. Sensuel, il aime les bons plats et... les belles personnes! C'est d'ailleurs son péché mignon.

Justin-Paul
Il observe et écoute avant d'agir. Il sait aussi retenir ses élans de colère. S'il s'emportait, peu de choses resteraient debout!

Kevin-Martin
Il passe son temps à flâner, à la recherche d'un but, d'une mission. Lorsqu'il l'a trouvé, il est d'attaque. Il rayonne dans la foule.

Kevin-Patrick

Il a une telle imagination qu'on se demande où il va chercher tout ça. Son monde imaginaire est fertile, mais sa réalité le satisfait peu.

Laurent-Olivier

Il doit faire attention de ne pas accorder sa confiance à n'importe qui. Influençable, il peut aimer une personne au point de déprimer si cette relation fane trop vite.

Léo-Paul

Il aime que chaque chose soit à sa place. Il ne connaît pas les excès, sauf peut-être dans les moments de grandes réjouissances.

Loïc-Alexandre

Il a un tempérament de bagarreur. Il remporte la plupart de ses joutes verbales. C'est un meneur, un homme qui veut réussir ce qu'il entreprend.

Loïc-Antoine

Il a une belle vivacité d'esprit, mais se laisse facilement influencer. Il lui arrive de ne pas terminer des tâches qu'il s'était lui-même données.

Louis-Albert

Il montre beaucoup de sérieux dans son travail. Il aime les projets à long terme, qui lui permettent de se concentrer sur un seul et unique objectif à la fois.

Louis-Alexandre
Il a le goût de grandes réalisations et se donne les moyens de réussir. Il faut lui laisser de l'espace et de l'air, sinon il suffoque.

Louis-Alexis
Il est un tourbillon de vie. Il dérange par ses actes et paroles, mais il prend ses responsabilités. Ses idées sont intéressantes.

Louis-Antoine
Il connaît sa valeur. Parfois insolent, il a toujours une bonne idée. Son énergie semble inépuisable.

Louis-Anthony
Il croit savoir ce dont il est capable et, pourtant, il pourrait viser encore plus haut. Humble, il a une belle énergie, qu'il partage sans compter.

Louis-Armand
Il ne recherche jamais les honneurs mais, avec un esprit vif comme le sien, il se retrouve malgré lui en première ligne.

Louis-Arthur
Il est un véritable tourbillon de fantaisies. Par contre, dans les moments difficiles, il plonge dans la déprime. Il exige alors beaucoup de ses proches, mais il sait leur rendre la pareille.

Louis-Auguste
Il agit parfois avec indiscrétion. Il veut connaître les gens qui l'entourent, que ce soit au travail ou

dans ses loisirs. Responsable, il accepte les contraintes.

Louis-Carl

Il prend rarement le temps de vivre. Son travail comble la majeure partie de ses heures. Il n'aime pas s'ennuyer, ce qui ne veut pas dire de laisser tomber ses proches.

Louis-Charles

Il consacre beaucoup d'énergie à sa famille. Intellectuel, il se laisse parfois absorber par son travail. Il déteste alors qu'on le dérange.

Louis-David

Inquiet de son avenir, il ne sait trop dans quel domaine se lancer. Il a un grand cœur, mais ses priorités restent à définir.

Louis-Denis

Il aime être bien en vue en société. Il est conscient de ses talents, mais ne recherche pas nécessairement les honneurs. Il est vif d'esprit.

Louis-Edmond

Son cœur tendre le rend vulnérable aux attaques imprévues. Il sait toutefois se relever et faire face aux difficultés de la vie. Il ne se confie pas aisément.

Louis-Étienne

Calme et sûr de ses moyens, il devient tout d'un coup bagarreur. Dans ses meilleurs moments, il a l'impression de pouvoir tout accomplir.

Louis-Félix
Il possède un bon sens de l'humour, qu'il enrichit de sa vaste culture. L'argent lui pose parfois des ennuis, car il se sent mal à l'aise avec l'idée d'en manquer un jour.

Louis-François
Il a appris que lui seul est responsable de son succès. Individualiste, il est tout de même attentif à ses proches, surtout à ses enfants s'il en a.

Louis-Frédéric
Il ne prend jamais les choses à la légère. Chacune de ses décision est pesée. Il est de bon conseil autant dans sa vie personnelle que professionnelle.

Louis-Georges
Il aime avoir du plaisir, tant dans ses activités sociales que professionnelles. Il n'aime certes pas les contraintes.

Louis-Gilles
Il se montre toujours comme une personne stable et imperturbable. Pourtant, il possède un véritable volcan, qui n'attend que l'occasion de se manifester…

Louis-Harold
Il aime le travail bien fait. Il est sérieux et attentif à ce qui se passe autour de lui. Avec ses proches, il devient un véritable boute-en-train.

Louis-Henri
Il sait apporter son aide à ses collègues de travail. Il a toujours mille et une idées en tête, car il cherche des moyens d'améliorer son existence et celles de ses proches.

Louis-Hippolyte
Il est un leader-né, celui à qui on confie les missions les plus périlleuses. Il a tellement travaillé afin d'avoir sa réputation.

Louis-Israël
Il ne peut supporter d'être pris entre quatre murs. Il a un bon caractère, ce qui fait qu'on l'accepte dans toutes sortes de cercles amicaux. Il aime faire la fête.

Louis-Jacob
On doit l'accepter avec ses qualités et ses défauts. Intransigeant, il ne saurait changer uniquement pour faire plaisir à des gens qu'il connaît peu.

Louis-Joseph
Il a de grandes questions sur la valeur de l'existence. Il se répète toutefois qu'il lui faut espérer un avenir meilleur pour tous. Ainsi, il se donne sans compter à ceux qu'il aime.

Louis-Julien
Il doit apprendre à accepter les opinions qui diffèrent des siennes. Égocentrique, il est conséquent avec ses idées. Il veut réussir sa vie.

Louis-Luc
Il aime la vie et les gens. Au travail, il a des alliés de taille, car il est efficace et juste. Il sait aussi rallier les autres à sa cause. Excellent compagnon, il a un bon sens de l'humour.

Louis-Napoléon
Il aime l'action. Impulsif, il ne pense pas toujours aux conséquences de ses actes, mais il a l'intelligence et l'humilité d'admettre ses erreurs.

Louis-Nazaire
Il possède une intelligence vive mais, en certaines occasions, il se montre aussi impulsif qu'irréfléchi. Il est plutôt solitaire, car il aime se retrouver dans le calme de la nature.

Louis-Noël
La vie est une grande fête pour lui. Il a besoin d'argent pour se sentir à l'aise. Il sait cependant bien travailler. Ses qualités intellectuelles sont d'ailleurs toujours appréciées.

Louis-Olivier
On doit parfois le pousser pour qu'il soit efficace au travail. Sa tête est pleine d'idées. Romantique, il sait emballer l'être aimé.

Louis-Pascal
Il vit au gré de ses amours. Il a besoin de se sentir aimé, et les jugements à son égard le blessent. Il a un grand cœur, mais ne sait pas toujours comment se protéger.

Louis-Paul
Il a une belle sagesse de cœur et d'esprit. Solide, il voit l'adversité comme une occasion de devenir meilleur. Il est aussi de bon conseil pour ses proches.

Louis-Philippe
Il aime étaler sa grande culture. Il peut d'ailleurs paraître un peu prétentieux, mais sa bonhomie lui évite bien des combats verbaux!

Louis-René
D'humeur changeante, il se satisfait un jour de ce qu'il aurait rejeté la veille. Sans admettre son inconstance, il apprend de ses erreurs.

Louis-Samuel
Il semble toujours insatisfait. Fougueux, il doit apprendre à retenir ses sautes d'humeur. Les contrôles administratifs l'agressent.

Louis-Sébastien
Il a la parole facile et doit peser chacune de ses opinions. Colérique, il pourrait blesser bien des gens. Il veut pourtant tout faire pour être la meilleure personne possible.

Louis-Stéphane
Il est intelligent, mais son jugement fait parfois défaut. Il se lance ainsi dans toutes sortes d'aventures sans penser aux conséquences. On aime son volontarisme.

Louis-Wilfrid
Il a un esprit complexe. Tout l'intéresse. Il aime la nature autant que les grandes découvertes, se montre autant rebelle qu'attentif.

Louis-Zéphirin
Il est le maître de sa destinée. Consciencieux, il est d'une aide précieuse pour ses collègues de travail. Personnage attachant, il aime beaucoup les sorties entre amis.

Luc-André
Il n'a pas besoin de crier pour qu'on écoute ce qu'il a à dire. Il est aussi l'homme des compromis lorsque tout va mal.

Luc-Benoît
Il aime le public sans pour autant renier son goût de la solitude. Son esprit analytique le plonge parfois dans des périodes dépressives.

Aimer son enfant, non pour soi, mais pour lui-même,
voilà la grandeur
de l'amour marternel.

Extrait du livre «Être maman, c'est si beau».
Voir page 269.

Luc-Étienne
Il aime les défis et se donne passionnément à son travail. Il reste vague quand on parle de sa vie personnelle.

Luc-Michel
Il aime apprendre. Son univers est celui des arts et de la culture. Rebelle, il a peu d'amis, qui lui sont cependant d'une fidélité à toute épreuve.

Luc-Raymond
Même s'il est surchargé de travail, il trouve toujours quelques minutes pour être à l'écoute des gens. C'est un être attachant qui garde ses distances…

Luc-Robert
Fort et attentif, il est cependant réservé. Il ne livre pas facilement le fond de sa pensée. Il aime la beauté, et son apparence laisse rarement à désirer.

Marc-Adélard
Réfléchi dans toutes ses décisions, il aime que justice soit rendue. Autonome, il n'est pas le plus sociable des hommes, mais sa compagnie est toujours appréciée.

Marc-Alain
Bien décidé à mener ses objectifs à terme, il rencontre pourtant bien des écueils en chemin. Son imagination fertile et frivole l'écarte souvent de son but.

Marc-Alexandre

L'orgueil est un vilain défaut... Il aurait tendance à se prendre un peu trop au sérieux, mais il a les capacités pour justifier la grandeur de son ego.

Marc-Alexis

Il aime la beauté. Son logis sera souvent bien décoré, avec soin et beaucoup de goût, car il apprécie son confort... et sa solitude.

Marc-André

Il possède un magnétisme contagieux. Autour de lui se baladent une multitude de personnes qui l'apprécient et qui trouvent la vie bien meilleure à ses côtés.

Marc-Antoine

Il possède le prénom composé masculin le plus populaire au Québec. Quelque peu insolent, jamais à court d'idées, il a une énergie débordante qui rayonne autour de lui.

Marc-Aurèle

Il s'invente un nouveau monde chaque jour. Original, il est amusant pour ceux qui le regardent de loin et saisissant pour ses proches.

Marc-Éric

Il a de l'énergie à revendre. Au travail, il n'hésite pas à faire des heures supplémentaires afin de justifier les hautes attentes qu'il a lui-même engendrées.

Marc-Étienne
Il peut paraître désintéressé en tout ce qui concerne l'ambition et l'avancement professionnel. C'est qu'il est humaniste avant tout et qu'il aime les bonnes choses de la vie.

Marc-Frédéric
Il aborde la vie avec passion. La nature et les gens l'inspirent, et il aime s'abandonner aux joies de l'amour.

Marc-Henri
L'argent n'a que peu d'importance à ses yeux. Généreux de sa personne, il ne déçoit jamais ses proches en refusant de les aider.

Marc-Marie
Guerrier tranquille, il se pose mille et une questions sur le sens de la vie. Il tolère ainsi les comportements les plus étranges, qu'il étudie au lieu de juger.

Marc-Olivier
Il achète la paix, quitte à «se laisser manger la laine sur le dos». Pour lui, les conflits ne sont que le résultat d'une lutte entre deux personnes intolérantes.

Marc-Simon
Équité et justice vont de pair avec lui. Toutefois, à force de chercher la vérité, il peut devenir tendu et soucieux.

Marc-Yvan
Habile négociateur, il reste calme malgré les tempêtes qui s'annoncent. Bien préparé, il est celui qui tient le gouvernail.

Martin-Olivier
Il a les mots pour s'exprimer. Amoureux de la vie, il parle abondamment de ses expériences afin d'en faire profiter les autres. Au travail, on l'apprécie pour son dynamisme.

Martin-Pierre
Il ne reste jamais très longtemps au même endroit. Il faut savoir le retenir subtilement. Il vit de défis, et ses rêves peuvent l'emmener à voyager très loin.

Mathias-David
Il ne peut se résoudre à «pelleter des nuages»! Il aime le concret, ce qu'il peut toucher. Il parle de ses passions avec tant d'énergie qu'il les fait apprécier… ou détester!

Mathias-José
Il est colérique et possessif. Ses défauts cachent cependant sa belle sensibilité. Son énergie en fait un travailleur de premier plan, qui refuse toutefois les compromis.

Mathias-René
Il réussit là où d'autres ont échoué. Il sait peser le pour et le contre. Entre deux rivaux, il s'interpose de façon à faire baisser la tension.

Mathias-Robin
Il sait obtenir ce qu'il désire. Son charme lui permet de rencontrer des gens influents. Il a toujours de bonnes idées en tête.

Max-Antoine
Il aime travailler avec les gens, mais il doit d'abord avoir confiance en eux. Cela n'est pas toujours facile, car il se méfie des beaux parleurs.

Max-Aubert
Généreux, il est déçu lorsqu'il voit des gens qui pensent d'abord à eux-mêmes. Il aimerait tant que tous s'entendent.

Max-Aurèle
Il a bien des petites manies, mais force est d'admettre qu'il sait où il s'en va. Il aime la nouveauté et les gens qui, comme lui, n'ont pas peur de prendre des risques.

Maxime-Julien
Il a bon cœur, mais il sait aussi doser ses énergies. On ne le trompe pas deux fois. En homme averti, il s'entoure de gens dévoués et authentiques.

Maxime-Martin
Il parle si bien qu'on l'écouterait pendant des heures. Il aime se savoir apprécié, mais il demeure tout de même accroché à son indépendance.

Maxime-Olivier
Il n'aime pas qu'on le conseille. Ses opinions critiquent souvent l'ordre établi, qu'il bouscule. Il possède beaucoup de charisme, ce qui fait qu'on lui tend l'oreille.

Maxime-Thomas
Il reconnaît les situations à risque et ne s'y aventure que lorsqu'il est persuadé d'en sortir gagnant.

Michel-André
Il sait ce qu'il veut. Il tient à ses possessions. Après tout, il a beaucoup travaillé pour obtenir ce qu'il a. N'entre pas dans sa vie qui veut.

Michel-Frédéric
D'une grande sensibilité, il prend le temps de discuter avant de porter un jugement. Il possède beaucoup de tendresse.

Michel-Guillaume
Il aime parler, s'exprimer. Comme il prend beaucoup de place, cela peut en indisposer quelques-uns. Il ne doit pas laisser ses instincts de bagarreur prendre le dessus.

Michel-Henri
Il adore rendre service. Organisé, il semble toujours avoir le temps de prêter main forte à qui que ce soit.

Michel-Jean
Le respect se mérite. Il n'a pas toujours la patience qu'il faut pour imposer ses idées, mais il se reprend par sa grande serviabilité.

Michel-Marc
Il a une imagination fertile et le talent qu'il faut pour mettre ses idées en pratique. Il semble froid tant il est occupé à mener à bien ses projets.

Napoléon-Alexandre
Il est un homme d'action. Impulsif, il ne pense pas toujours aux conséquences de ses actes, mais il sait combler ses propres lacunes.

Napoléon-Antoine
Il a un rapport à l'argent plutôt tumultueux. Plus il en a, moins il lui en reste! À deux, la vie est remplie d'obstacles au bonheur.

Olivier-Albert
Il a un jugement sûr quand vient le temps d'aider les autres. Dans son for intérieur, il rêve à un monde meilleur rempli d'amour et de fantaisies.

Olivier-Martin
L'amour tient une grande place dans sa vie. Il a les mots pour convaincre les gens. Son discours

n'est pas étranger à ses succès, autant professionnels que personnels.

Olivier-Maurice
Il doit être poussé pour être efficace au travail, car sa tête est pleine d'idées. Dans l'intimité, il est romantique à souhait.

Patrice-Alexandre
Il n'aime pas voir le monde tel qu'il est. Sa mission consiste à modifier son univers, rien de moins. L'amour le rassure.

Patrice-Robert
Il n'est jamais à court d'idées pour se sortir d'embarras ou pour aider ses proches. Impulsif, il doit prendre garde de blesser ses meilleurs amis par des paroles déplacées.

Patrick-Alexandre
Doté d'une grande force morale, il est un véritable pilier humain, celui sur qui on peut compter quand les choses tournent au vinaigre.

Patrick-André
S'il gagnait à la loterie, il en serait bien heureux. Il est un rêveur impénitent qui possède une grande imagination.

Patrick-Sébastien
Il a des objectifs qui lui paraissent parfois inatteignables. Pourtant, avec le recul qu'il s'impose, il réussit à gravir un à un les échelons.

Patrick-Thomas
Il ne trahit jamais ses proches, en autant que ceux-ci ne l'aient pas déjà fait… Il est fidèle, et ses amours le comblent.

Paul-Adam
Il aime faire des liens entre sa vie, ou ce qu'il en perçoit, et les fables ou les paraboles. Les symboles revêtent beaucoup d'importance à ses yeux.

Paul-André
Il est de commerce agréable, même s'il semble parfois superficiel. Si on le met au défi, il subira une véritable métamorphose!

Paul-Antoine
Il est rebelle dans l'âme. Il aime sortir des sentiers battus. Avec son sens de l'humour, il sait comment alléger une atmosphère…

Paul-Arthur
Il a sa propre vision des choses. S'il est habituellement rieur et enjoué, il se lèvera tel un ouragan devant des situations qu'il ne peut tolérer.

Paul-Émile
S'il a un bon emploi, c'est qu'il a les capacités d'accomplir sa tâche mais aussi parce qu'il a besoin d'argent pour vivre. Il est un bon leader, mais manque parfois d'énergie.

Paul-Éric

Il a une multitude de talents. Le problème, c'est qu'il n'arrive pas à s'intéresser à une chose en particulier…

Paul-Étienne

Dans toutes ses paroles et toutes ses actions, il mène une quête. Il voudrait tant que les gens qui l'entourent soient heureux.

Paul-Eugène

Tantôt terre à terre, il devient parfois plus volubile, plus intellectuel. Il est difficile de savoir quelle facette se montrera le plus souvent…

Paul-Gilbert

Il a un caractère aimable et possède un grand cercle d'amis avec lesquels il échange à propos de tout et de rien.

Paul-Henri

La vie a un sens pour lui. Afin de rendre meilleurs les gens qui l'entourent, il s'affaire lui-même à se présenter de la façon la plus positive qui soit.

Paul-Marc

Il a la réussite dans le sang, mais manque d'ambition. Dans son cas, ce n'est pas un défaut, car il accorde plus d'importance aux humains qu'à l'argent.

Paul-Marie

Il est d'une pureté qui frôle l'innocence. Il ne ferait pas de mal à une mouche, sauf peut-être à une mouche qui mord trop fort…

Paul-Ovide

Il a besoin de se sentir en terrain ami. Dans un environnement nébuleux, il ne se sent pas à son aise et devient irritable.

Philippe-Albert

Il a beaucoup d'énergie, mais ses excès le rattrapent rapidement. Il aurait tant besoin de prendre un peu de recul pour voir où il s'en va.

Philippe-André

Il est très difficile à déstabiliser. À la colère, il répond avec le sourire; au mépris, il répond avec attention et intérêt. Il reste d'ailleurs positif en tout temps.

Philippe-Jacques

Quand on le regarde de loin, il semble bien au-dessus de ses affaires. Ses belles paroles cachent pourtant un cœur d'or.

Philippe-Jean

Les contraintes le rendent très nerveux. Les obligations conjugales ne sont pas une sinécure pour lui, mais il reste néanmoins disposé à changer pour le bien d'autrui.

Pierre-Albert
Il est animé d'un grand sens de la rigueur. Toutefois, avant de crier au loup, il prend le temps de réfléchir, ce qui épargne au moins les innocents…

Pierre-Alexandre
Solide comme le roc, il laisse toutefois transparaître une humanité certaine en lui, ce qui fait qu'on l'aime bien.

Pierre-Alexis
Il a un don pour les chiffres. Travailleur efficace, il œuvre souvent dans l'ombre. Ce n'est pas ses coups d'éclats, en tout cas, qui font sa renommée, mais bien sa constance.

Pierre-Amable
Serein lorsque tout va bien, il prend mal les coups durs. La critique le rend nerveux et lui fait se poser bien des questions. Il ne veut pourtant que plaire…

Pierre-Anthony
Il se bat constamment entre l'image qu'il projette et ce qu'il est vraiment. Rancunier, il garde longtemps le souvenir de la personne qui l'a fait mal paraître.

Pierre-Antoine
Il pense avant tout à ses succès personnels, mais c'est surtout parce qu'il ne veut rien manquer afin d'offrir ce qu'il y a de meilleur à ses proches.

Pierre-Baptiste
Très exigeant envers lui-même, il finit souvent par laisser tomber des projets qui lui demandent trop d'énergie. Il n'est pas à court de ressources pour autant...

Pierre-Benoît
Perfectionniste, il manque d'entrain pour terminer ce qu'il a entrepris. Ses illusions se heurtent brutalement à la réalité

Pierre-Bertrand
Il n'hésite pas à porter secours aux gens dans le besoin. Il a une âme généreuse et se donne corps et âme aux gens qu'il aime.

Pierre-Édouard
Il est un fin stratège. Il réussit à tout coup grâce à son sens du travail accompli minutieusement. Il exige beaucoup de ses collaborateurs.

Pierre-Émile
Il incarne la force tranquille. Patient, il laisse le temps à ses supérieurs de le remarquer. Quand on lui donne une mission, il ne déçoit pas.

Pierre-Éric
Il se démène à gérer plusieurs projets de front. Cela lui cause de sérieux maux de tête à l'occasion, mais il sait prendre du recul.

Pierre-Étienne
Son cœur semble fait de pierres. C'est qu'il s'est érigé une solide carapace. Il est indépendant

autant dans ses affaires de cœur que dans sa profession.

Pierre-Frédéric
Il voit le monde comme un grand et merveilleux terrain de jeux à découvrir. Il aime montrer combien la vie vaut la peine d'être vécue.

Pierre-Georges
Il n'est pas sur terre pour recevoir des honneurs. Ses exigences sont sobres, car il n'est pas matérialiste. C'est un homme bon qui aime donner pour recevoir.

Pierre-Jacques
Sa générosité est bien calculée. Il sait reconnaître les tricheurs. Quelque peu égocentrique, il est cependant toujours disponible pour ses proches.

Pierre-Justin
Il aime recevoir des marques d'affection, mais son orgueil est bien placé. Au travail, il prend son temps, et ses paroles ne devancent jamais ses pensées.

Pierre-Louis
Il croit parfois tout savoir. C'est vrai qu'il a un bagage de connaissances au-dessus de la moyenne, mais l'humilité lui fait quelque peu défaut. Il a énormément de capacités.

Pierre-Luc
Pointilleux à l'extrême, il ne tolère pas qu'on puisse accepter le travail fait à moitié. D'ailleurs, chez lui, tout est ordonné.

Pierre-Marc
Il aime apprendre et surprendre. Ses idées originales lui assurent beaucoup d'attention, mais il doit aussi agir de temps en temps.

Pierre-Olivier
Au travail, il aime être entouré d'experts. Il veut atteindre la perfection, rien de moins! Dans ses relations sentimentales, il se laisse embarquer dans toutes sortes d'histoires…

Pierre-Paul
Il croit dur comme fer à son interprétation de la vie. Peu de gens peuvent lui faire admettre qu'il a tort, sauf peut-être la personne avec laquelle il vit.

Pierre-Richard
Comique au cœur triste, il aime faire rire mais recherche inlassablement le bonheur. On trouve pourtant si souvent ce qu'on cherche tout près de soi…

Pierre-Samuel
Éternel insatisfait, il est aussi aux prises avec de sévères sautes d'humeur. En contrôle de lui-même, il devient très attachant par sa fougue.

Pierre-Stanislas
Il y a des gens qu'il n'aime pas simplement par principe. Pourtant, ce n'est par manque de bonne volonté de sa part. Toujours prêt à aider, il agit parfois de façon maladroite.

Pierre-Stéphane
Il réussit à merveille à cacher ses défauts. Timide, il pallie ce problème en vivant le plus souvent possible en société.

Pierre-Thomas
C'est par défi qu'il agit et qu'il réussit. Travailleur acharné, il ne remet jamais une tâche faite à moitié. Dans sa vie privée, il est calme et attentionné.

Pierre-Vincent
Il prend les moyens pour arriver à ses fins. Il n'aime cependant pas les causes sociales, car il croit que chaque être humain peut réussir s'il s'en donne la peine.

Pierre-Wilfrid
Il est un petit dictateur. Les choses doivent être faites à sa manière. On ne l'apprécie guère si on l'a comme supérieur. Il dirige et accepte mal l'autorité.

Pierre-William
Il peut paraître hautain. C'est qu'il n'accepte que la perfection. Il est un père attentif et reste à l'écoute de ses enfants.

Pierre-Yvan
Il est capable d'en prendre beaucoup sur ses épaules. Il a le sens des responsabilités et apprécie peu les rêveurs.

Pierre-Yves
Attiré par tout ce qui s'appelle culture, il se nourrit d'information. Il aime changer le monde, emprunter de nouvelles avenues.

Pierre-Zacharie
Il est colérique et ses plus folles sautes d'humeur visent les autorités de ce monde. L'establishment financier le rebute.

Raymond-André
Sa grande générosité l'honore. Il sait aussi reconnaître les fraudeurs, ceux qui voudraient abuser de sa bonne foi. Avisé et honnête, il est aussi de bon conseil.

Raymond-David
Il est droit et sait avancer dans le cadre imposé par les lois et règlements. Il ne connaît pas toujours ses capacités, qu'il exploite parfois mal.

Raymond-Frédéric
Une grande sagesse l'habite. Il prend soin de ses proches et se montre très tendre en couple. Au travail, il accomplit ce qu'on lui demande, sans plus.

Raymond-Marie
Tiraillé à gauche et à droite, il accomplit une lourde besogne. Solide comme le roc, il ne se laisse jamais prendre de court.

Raymond-Marius
Il est un homme de tête. Il a de bonnes idées qu'il s'affaire à réaliser. Les succès ne lui sont pas étrangers, autant en affaires qu'en amour!

Raymond-Richard
Il connaît sa valeur au sein d'une entreprise. Les coups d'éclat ne sont pas son fort, mais il sait se faire reconnaître par sa stabilité et sa ténacité.

Réal-Albert
Curieux et parfois indiscret, il analyse les gens très rapidement. Tout lui semble facile mais, sans objectif précis, il erre çà et là en attendant qu'il se produise quelque chose.

Réal-Arthur
Il connaît souvent des périodes sombres, des moments de déprime qui exigent beaucoup de ses proches. Par la suite, il se transforme en un tourbillon de fantaisies.

Réjean-Thomas
Sûr de ses moyens, il met ses talents au service de ceux qui en ont besoin. Il se donne à son travail et à ses proches.

Rémi-Pierre
L'orgueil est un bien vilain défaut! Il doit apprendre à doser ses énergies afin de servir ses collègues et ses amis de la meilleure façon possible.

René-Claude
Il aime l'argent pour le luxe qu'il lui procure. Ainsi, il est mieux équipé pour donner, pour partager ses biens.

René-Charles
Moqueur et quelque peu turbulent, il est motivé par la victoire, par le sens du travail bien fait et reconnu. Il est doté d'une belle créativité, mais ses rêves sont parfois trop grands.

René-Pierre
Fin observateur de la vie qui l'entoure, il remarque les signes, les faits anodins. Il déteste les querelles.

René-Richard
Il aime les arts, en particulier la lecture, qui le projette dans un univers fantastique. Il est aussi romantique en amour et inventif au travail.

Robert-Gilles
Impulsif, il doit apprendre à se contenir, ce qui se fait parfois à la dure! Il sait pourtant qu'il n'a pas à prendre le mors aux dents à propos de tout et de rien.

Robert-Onil

Fort et tenace, il est aussi réservé. Bien malin qui découvrira le fond de sa pensée. Il apprécie l'art dans ses formes les plus recherchées.

Robert-René

Les bonnes manières l'indisposent mais, dans certaines circonstances, il doit s'y astreindre. Il sait pourtant faire preuve de bon goût.

Roger-Sylvain

Il aime le monde et ferait tout pour vivre entourer de ses meilleurs amis. Le travail est, pour lui, un mal nécessaire, car il a tant de choses autres à faire.

Roland-Michel

La famille est très importante pour lui. Avec les enfants, il se montre sous son plus beau jour. Sa patience a toutefois des limites.

Serge-Abel

Il combat ses peurs en même temps qu'il tend à devenir efficace. Il est stressé, mais il réussit à atteindre ses objectifs à force de travail.

Serge-Antoine

Chez lui, le talent déborde! Il est très habile manuellement. Il ne se pose jamais trop de questions. Il fonce, ce qu'il touche est couvert de succès.

Serge-Éric
La nostalgie n'est pas son fort. Il ne s'attarde pas sur un succès. Il veut tout de suite autre chose.

Serge-Henri
Il craint beaucoup la solitude mais, plutôt que de s'apitoyer sur son sort, il préfère rire de ses insuccès. Il reste serein malgré tout.

Serge-Onil
Plutôt sensible, il ne tolère pas les sautes d'humeurs. Il est prudent, parfois trop, ce qui l'empêche d'être reconnu à sa juste valeur.

Serge-Rémi
Il a toujours son mot à dire dans une conversation. Il s'intéresse à une multitude de choses et est fier de ses opinions.

Serge-René
Prudent et prévoyant, il aiguise la patience de ses supérieurs au travail, car il ne remet jamais un document imparfait.

Simon-Abel
Il a tellement besoin qu'on lui dise combien il est bon qu'il en perd son efficacité première. Pourtant, en dehors de cadres rigides, il excelle.

Simon-Olivier
Il est un grand rêveur. Il se joue même la comédie, seul chez lui, en s'imaginant des scénarios loufoques. Il a besoin qu'on le ramène sur terre.

Simon-Pierre
Les loisirs lui font perdre du temps. Il passerait les 24 heures de sa journée à travailler s'il le pouvait. Il est efficace, mais ce rythme de vie rattrape même les plus solides.

Simon-Thomas
Il est un grand amateur de divertissements intellectuels. Les arts comblent son imaginaire. Son chez-soi est toujours bien décoré.

Thomas-Alain
Il aime en savoir toujours plus. Journaliste, il serait très efficace, mais il a aussi tendance à prendre trop de place.

Thomas-Benoît
Un rien l'ébranle. La nervosité l'agite à un point tel qu'il souffre d'insomnie. Il est attentionné et ne sait jamais s'il plaît ou non.

Thomas-Carl
Il prend énormément d'espace, comme si tout lui appartenait. Certes, il n'aime pas s'ennuyer, mais il pourrait aussi reprendre son souffle de temps à autre.

Thomas-Denis
On ne peut lui reprocher d'être inconstant. Quand il se donne à une cause, une personne ou un travail, il ne le fait jamais à moitié.

Thomas-Étienne
Il aime le romantisme, mais se sent à l'étroit dans un cadre amoureux trop rigide. Fidèle, il ne s'engage que lorsqu'il s'en sent prêt.

Thomas-Frédéric
Pour lui, tous les hommes sont égaux, et c'est en amitié qu'il le démontre. Il aime la justice et ne pardonne pas l'hypocrisie.

Thomas-Gaétan
Il exige un maximum de sa propre personne. Il prend aussi beaucoup d'engagement. Le temps lui manque parfois pour remplir ses promesses.

Thomas-Henri
Toujours joyeux, sans excès toutefois, il a tendance à tenir un discours cynique sur les gens qui se croient supérieurs. Il aime la vie dans toutes ses formes.

Thomas-Ian
Il travaille sans relâche, parfois jusqu'aux petites heures du matin. Il n'aime pas tellement l'autorité, mais il apprécie son chèque de paye…

Thomas-Jean
Autonome, il a un fort penchant pour toutes les activités sociales. En fait, il étudie les situations afin d'en tirer le maximum, autant en affaires qu'en amour!

Thomas-Louis
Il est le maître de sa destinée. Stable et consciencieux, il est d'une aide professionnelle précieuse. Il ne délaisse pourtant pas le côté humain.

Thomas-Michel
Il est d'une générosité exemplaire. Il parle fort, parfois trop, ce qui déstabilise ses proches. Il se sent quelquefois, à tort, seul au monde.

Thomas-Noël
Il aime que son environnement soit beau. Il apprécie aussi la compétition, qui lui permet de montrer combien il est talentueux.

Thomas-Olivier
Poète à ses heures, il séduit par la beauté de ses paroles. S'il se montre quelque peu volage, il n'en est pas moins possessif…

Thomas-Pierre

On le considère parfois imbu de lui-même. Il se montre jaloux et perfectionniste à l'extrême, mais il réussit dans la vie, ce qu'on lui rend bien.

Thomas-René

Il est un ami fidèle et raisonnable. Avec lui, les folles dépenses sont rares! Au moins, quand il a besoin d'argent, il n'a pas à emprunter...

Thomas-Simon

Casanier, il n'aime pas beaucoup les sorties, qui «avilissent l'homme». Plutôt intellectuel, il aime lire et s'informer.

Thomas-Sylvain

Il est un véritable rayon de soleil parmi la foule! Pour lui, les amis sont ce qu'il y a de plus important. Il s'occupe donc de les distraire.

Thomas-Thierry

Il reste simple dans ses objectifs, mais il aime avoir un but lointain à atteindre. Patient, ses missions sont couronnées de succès.

Thomas-Ulysse

Grand voyageur de l'imaginaire, il semble pourtant impassible devant les réalités pas toujours agréables. Ses rêves le gardent en vie.

Thomas-Victor

S'il déteste l'ennui, il apprécie au plus au point les rencontres en tête à tête. Observateur attentif, il a toujours un point de vue éclairé.

Thomas-Vincent

Il ménage constamment la chèvre et le chou. Il aime son confort, mais ne juge pas celui des autres. Comme il reste calme dans l'adversité, il est un excellent médiateur.

Thomas-William

Il aimerait être reconnu à sa juste valeur, mais il prend son temps. Excellent second, il croit que le jour viendra où il sera maître du navire.

Thomas-Xavier

Travailleur efficace et attentif, il est celui qu'on utilise pour les missions périlleuses. Jamais il ne perd son sang-froid.

Victor-André

Il a des idées de grandeur et érige en missions ses projets les plus fous. Il en est d'ailleurs fort sympathique, mais il prend parfois beaucoup de place.

Victor-Lévy

Il aime la simplicité, et les problèmes le rebutent. Il déteste les gens qui se content des histoires.

Victor-Louis

Il est un être complexe mais pas nécessairement compliqué. Il aime la nature mais apprécie la technologie, il est rebelle mais bon étudiant, etc.

Victor-Marc
Parfois très agréable, il change complètement en d'autres temps pour devenir solitaire, autoritaire et irascible. Il est bien difficile à suivre.

Victor-Xavier
Lorsqu'il reçoit une mission, il ne peut plus être dérangé. En ce sens, il est un travailleur dévoué et acharné, mais ses proches ont du mal à suivre ses intentions.

Xavier-Frédéric
Il est réaliste, mais il déteste qu'on lui dicte quoi faire. Au travail, sa conscience lui dit d'accepter ce que ses patrons lui demandent. Il déteste l'incompétence.

Xavier-Patrick
Il ne se laisse pas facilement prendre en défaut. D'abord autoritaire et pointilleux, il est lui-même très organisé. Il est ainsi toujours en mesure d'expliquer ses décisions.

Xavier-Simon
Méthodique, il prend beaucoup de temps avant de se décider. Il a beaucoup de mal à accepter les gens qui lui poussent dans le dos.

Yves-André
Il a parfois tendance à s'emporter. C'est alors parce qu'il est allé au bout de sa patience.

Yves-Benoît
Méticuleux, il est aussi serviable. Il est attentif aux besoins des autres et se montre talentueux et polyvalent dans son travail.

Yves-Christian
Très intelligent, il sait détecter les tricheurs. Intègre, il déteste par-dessus tout se sentir manipulé.

Yves-Daniel
Travailleur solitaire, il aime se faire dire qu'on apprécie ce qu'il fait. Émotif, il a du mal à se contenir lorsqu'on le blesse, même involontairement.

Yves-Étienne
Il a besoin de voir pour savoir où il s'en va. Il écrit ses rendez-vous, prend des notes sur tout afin de ne rien oublier, car sa mémoire auditive est quelque peu déficiente.

Yves-Frédéric
Il se rebelle devant ceux et celles qui veulent le manipuler. Il est épris de liberté et d'aventure.

Yves-Henri
Il a un grand cœur et aime apporter de l'aide à qui en a besoin. Il est entier et refuse qu'on n'accepte que ses qualités et qu'on rejette ses défauts.

Yves-Julien
Il a besoin de contacts humains. Irritable, il souhaite qu'on l'aime tel qu'il est, même s'il n'est pas toujours facile à suivre.

Yves-Martin
Il a un grand sens du devoir. En retour, il exige de ses proches un même engagement.

Yves-René
Il a tout pour lui, mais il ne s'en rend pas toujours compte. Il est instable et colérique à l'occasion.

Yves-Robert
Il croit en ses idées, mais il doit apprendre à nuancer ses propos, car on le croirait buté.

Yves-Xavier
Il oublie parfois le moment présent, car il pense trop aux époques passées. Il est un rêveur qui doit apprendre à penser un peu plus à l'avenir…

Yvon-Martin
Il sait où il s'en va et aimerait bien que les autres aient les idées aussi claires. Toutefois, son caractère changeant lui cause de mauvaises surprises.

Yvon-René
Il se donne sans compter à son travail. Il est juste et honnête, ce qui fait de lui un excellent médiateur.

Yvon-Robert

Travailleur acharné, il ne croit pas au destin. Il est le seul et unique facteur de sa réussite.

Yvon-Thomas

Il se questionne peu sur sa manière d'aborder les gens. Direct, il aime que tout soit prévu, les soupers à la chandelle comme les rencontres entre amis.

Être maman,
c'est si beau
HÉLÈNE FONTAYNE

Étienne Marquis
Que faisons-nous pour sauver la planète?
100 TRUCS POUR FAIRE VOTRE PART AU QUOTIDIEN
ÉDIMAG

Sophie Tremblay
La boîte à lunch
FAMILIALE
Préparer les lunchs en famille
PIZZAS
SALADES
PÂTES
SANDWICHS
DESSERTS
Des conseils santé pour une meilleure alimentation
ÉDIMAG

VOTRE PANIER D'ÉPICERIE
UNE ARME
CONTRE LE CANCER
Plus de 40 recettes anti-cancer
Les secrets du régime anti-cancer
ÉDIMAG

ÉDIMAG
PRÈS DU PUBLIC